Le petit proverbier

Pierre DesRuisseaux

Le petit proverbier

Proverbes français, québécois et anglais

BIBLIOTHÈQUE QUÉBÉCOISE est une société d'édition administrée conjointement par les Éditions Fides, les Éditions Hurtubise HMH et Leméac Éditeur, et qui bénéficie du soutien financier du Conseil des Arts du Canada et de la Société de développement des entreprises culturelles du Québec (SODEC).

Couverture :
Gianni Caccia

Typographie et montage :
Dürer *et al.* (MONTRÉAL)

Données de catalogage avant publication (Canada)

DesRuisseaux, Pierre, 1945-
Le petit proverbier: proverbes français, québécois et anglais
Comprend des réf. bibliogr. et un index

ISBN 2-89406-138-2

1. Proverbes français. 2. Proverbes français – Québec (province)
3. Proverbes anglais. 4. Proverbes – Histoire et critique.
I. Titre.

PN6451.D47 1997   398.9'41   C97-940940-3

DÉPÔT LÉGAL : TROISIÈME TRIMESTRE 1997
BIBLIOTHÈQUE NATIONALE DU QUÉBEC
© Pierre DesRuisseaux et Bibliothèque québécoise, 1997

Introduction

Il existe de nos jours une tendance quasi universelle à ouvrir les frontières des pays et des continents. Des sociétés autrefois isolées et repliées sur elles-mêmes sont aujourd'hui confrontées, par le biais des médias et de moyens de transport et de communication de plus en plus efficaces, à de multiples influences linguistiques, culturelles, sociales qu'il n'est plus possible de vouloir nier.

La notion de « village global » annoncée il y a déjà plusieurs décennies par le philosophe précurseur Marshall McLuhan, est devenue désormais, que nous le voulions ou non, avec l'Internet, le *World Wide Web*, ce réseau de communication informatique intercontinental, et la rédaction des journaux à distance, une réalité quotidienne pour la plupart d'entre nous. Et en ce sens, la connaissance, l'usage pratique de plus d'une langue et la fréquentation presque journalière de plusieurs cultures constituent, dans nos sociétés post-industrielles modernes, une nécessité quasi incontournable, ne serait-ce que pour comprendre un peu mieux le monde qui nous entoure et nous façonne de plus en plus.

« Savoir populaire » traduisant dans un sens très général sous forme d'un code de sagesse ce que l'on appelle communément *l'esprit des peuples*, le proverbe constitue, sous ce rapport, un instrument privilégié d'approche et de connaissance des particularités psychologiques, morales, sociales, religieuses et autres des nations. Or mettre en regard des énoncés proverbiaux de sociétés, de cultures et de langues différentes, comme, en l'occurrence, dans ce recueil comparatif de proverbes, permet de mieux dégager les particularités ainsi que les différences fondamentales et les préoccupations essentielles qu'ils véhiculent et traduisent au sein de la langue d'usage.

Pour l'occasion, ont été regroupés sous le générique de *proverbes* des groupes de mots qui, à défaut de se conformer à la définition de « proverbe » au sens strict, n'en fonctionnent pas moins et ne sont pas moins considérés par les usagers comme de véritables énoncés proverbiaux. Se classent dans cette catégorie les dictons, aphorismes, lieux communs, axiomes, préceptes d'usage courant, tels que « Il n'y a que la foi qui sauve », « Le bout de la rue fait le coin », « Cette année, les maladies ne sont pas saines », « La colère est mauvaise conseillère », « Faut pas allonger [étendre] la courroie», « Regardez à deux fois avant de sauter », « Sauve qui peut ! ».

Il existe dans le domaine des dictionnaires comparés de proverbes de nombreuses œuvres fort bien documentées et dont l'utilité et la valeur ne font aucun doute. Le présent ouvrage se distingue cependant par le fait qu'il constitue à la fois un livre de référence parémiologique bilingue, français-anglais, et un recueil comparatif d'énoncés proverbiaux, principalement de France et du Québec.

Issu de plusieurs années de cueillettes sur le terrain au Québec et de recherches étendues sur les proverbes français, québécois et anglais, *Le petit proverbier* se veut un outil de consultation et de référence tout aussi pratique qu'utile mais également aussi complet que possible dans la mesure où rien n'a été négligé pour s'assurer des sources orales et écrites les plus extensives et fiables possibles. Proposant quelque 550 entrées principales constituées de proverbes français et au moins trois fois autant de variantes et d'équivalents français, québécois et anglais usuels, le présent ouvrage offre souvent un aperçu historique des énoncés proverbiaux en proposant dans plusieurs cas les versions anciennes de proverbes d'usage courant ou encore l'énoncé latin dont procède parfois le proverbe en question.

Classés sous 41 rubriques thématiques groupées par paires opposées, telles que *amitié / amour, avant / après, présence / absence, ressources / dénuement,* les énoncés sont ainsi plus aisément repérables puisque rassemblés en familles d'idées. Une table thématique située en fin d'ouvrage permettra par ailleurs au lecteur de se faire une idée des divers thèmes utilisés dans le découpage du corpus. Un index général regroupant à la fois les proverbes français, québécois et anglais complète commodément ce livre puisqu'il permet, à partir d'un simple mot clef présenté dans le cadre d'une version abrégée du proverbe contenue dans l'index, de retrouver son équivalent dans le corps de l'ouvrage par un jeu de renvois tout aussi commode qu'efficace.

Puisse ce petit proverbier aider tous les usagers de la langue, petits et grands, Québécois, Français ou autres, à s'initier aux particularités et aux plaisirs de l'usage des proverbes. Car si la langue est une forêt où chaque proverbe a poussé à peu près comme il le voulait, on pourra mesurer ici les écarts et les rapprochements essentiels qui s'établissent d'emblée entre les énoncés d'ici et d'ailleurs. On peut espérer en outre que cet ouvrage sera d'une réelle utilité aux francophones ainsi qu'aux étrangers qui désirent comprendre et se servir à bon escient des énoncés proverbiaux, qu'on retrouve rarement sinon jamais dans les dictionnaires usuels. Les multiples exemples, variantes et équivalents français et anglais contenus dans ces pages permettront sans doute de se faire une idée juste et précise du sens et de la portée des proverbes dans la réalité même de leur pratique.

Notice d'emploi

Les entrées sont regroupées sous divers thèmes dans le corps de l'ouvrage. On retrouvera la nomenclature des thèmes en consultant la table thématique, située en toute fin de volume. Au sein de chaque section thématique, les entrées apparaissent dans l'ordre alphabétique des mots clefs, précédant immédiatement l'énoncé de référence, en caractères gras. L'entrée est constituée du proverbe français, la plupart du temps d'usage courant, suivi, le cas échéant, par un ou des équivalents précédés de **Fr** lorsqu'il s'agit d'énoncés français, et ensuite, s'il y a lieu, des équivalents québécois et anglais, précédés des sigles **Qc** et **Ang**. Ainsi:

LONG

SI ON LUI EN DONNE LONG COMME LE DOIGT, IL EN PREND LONG COMME LE BRAS. — Fr. Si vous lui donnez un pied, il en prendra quatre ♦ Si vous lui donnez un pied, il vous prendra la jambe ♦ Amène le diable jusqu'au bénitier, il ira tout seul jusqu'au chandelier ♦ Si on luy donne un pouce, il en prendra grand comme le bras (*vieilli*). **— Qc** Si tu lui en donnes [Quand on en donne] un pouce, il va en prendre [on

11

en prend] un pied. **— Ang.** Give an inch and he'll take an ell ♦ Give an inch and he'll take a mile ♦ Give a clown your finger [your foot] and he'll take your [whole] hand (*É.-U.*).

Les parties entre crochets indiquent une variante quelconque de l'énoncé. Ainsi, dans l'exemple ci-dessus, le proverbe québécois peut se dire aussi bien: *Si tu lui en donnes un pouce, il va en prendre un pied* que: *Quand on en donne un pouce, on en prend un pied*. Quant à l'énoncé américain, il pourra aussi bien se dire: *Give a clown your finger and he'll take your hand* que: *Give a clown your foot and he'll take your hand* ou encore: *Give a clown your foot and he'll take your whole hand*, mais aussi: *Give a clown your finger and he'll take your whole hand*.

Les parties entre parenthèses à l'intérieur d'un énoncé indiquent la signification admise d'une appellation familière ou peu usitée, ainsi: *Qui plus esmuet (brasse) merde (la fange) et plus pust (et plus doit mal sentir) (XIVᵉ)*. Il peut aussi s'agir d'un terme qualifiant un proverbe — par exemple *vieilli*, qui indique qu'il n'est plus d'usage courant — ou d'une explication essentielle à la signification du proverbe, comme par exemple: *Les cochons sont soûls (l'un), les truies s'en plaignent (l'autre)*.

La lettre «*r*» associée à une désignation de siècle en chiffres romains, indique que cet énoncé a été relevé (*r.*) pour la première fois en ce siècle et est encore en usage aujourd'hui, ainsi: *Après blanc pain, le bis ou la faim (r. XVIᵉ);* par contre, une simple désignation de siècle, précédée ou non d'une indication, après un énoncé, indique que celui-ci a été relevé au siècle mentionné mais n'est plus en usage de nos jours, par exemple: *Plus on remue la boue et plus elle pue (XIIIe)*, ou *A mau chat (rat) mau rat (chat) (Montcorbier alias François Villon, XVe)*.

Un énoncé suivi d'un nom de région, par exemple: *Manteau de velours, ventre de son (Touraine); Robe de soie, ventre de son (Anjou)*, indique que l'énoncé a été relevé dans l'une quelconque des régions de France. Par ailleurs, un énoncé suivi d'une variante entre crochets, et contenant un nom de région française entre parenthèses, indique que cette variante est originaire de la région désignée: *Qui dort dîne [et qui danse jeûne (Auvergne)]*. Un proverbe ayant été recueilli dans un pays autre que celui désigné par l'abréviation de son ascendance verra son pays d'origine mentionné entre parenthèses à la suite de l'énoncé. Ainsi en anglais: *Of one ill come many. It never rains but it pours (É.-U.)*, indique que le premier proverbe est d'utilisation générale en anglais tandis que le deuxième est en usage aux États-Unis. En français on pourra voir aussi, par exemple: *Mieux vaut ta propre morue que le dindon des autres (Martinique)*.

Situé à la toute fin de l'ouvrage, l'index comprend l'ensemble des proverbes français, québécois et anglais contenus dans ces pages, qu'ils se présentent comme entrées principales ou secondaires. Dans l'index, l'entrée est précédée du mot clef — la plupart du temps un terme significatif caractérisant l'énoncé — qui apparaît en caractères gras. Un renvoi en caractères romains indique qu'il s'agit d'une entrée secondaire, que l'on retrouvera à la page indiquée à la suite. Le renvoi de l'index se compose donc du mot clef suivi d'un deux-points et du proverbe plus ou moins abrégé, puis du numéro de la page où se trouve l'énoncé dans le corps de l'ouvrage. Plusieurs proverbes abrégés apparaissant à la suite d'un même mot clef sont séparés par un point-virgule, par exemple:

flûte : vient de f. au tambour 98
foi : la f. sauve 159; le juste par la f. 159
foire : à la f. et au moulin 163 ; 167
fois : une f. pas coutume 91 ; une f., une
    erreur 91
folle demande : à f. point de réponse
    193
folly : *f. of one man* 47
Fontaine : f. je ne boirai pas 28; faut pas
    dire f. 66
fool : *a f. is never cured* 195; *born a f.*
    192; *f. always right* 193; *make a*
    f. wise 192; 195; 196

Quant aux énoncés anglais, ils apparaissent en italique, conformément à l'usage.

Accomplissement / fin

UN PEU [PEU] D'AIDE FAIT GRAND BIEN. En usage au Québec. **— Fr.** Il faut perdre un véron pour pêcher un saumon ◆ Petite étincelle engendre grand feu ◆ Celuy peut hardiment nager à qui l'on soustient le menton (*vieilli*) ◆ Petite pluie abat grand vent (*XIVe*). **— Ang.** Every little helps ◆ Small rain lays great dust ◆ Many hands make light work.

IL Y A PLUS D'UN ÂNE [À LA FOIRE] QUI S'APPELLE MARTIN (*r. XVIIIe*). **— Fr.** Il y a plus d'un âne à la foire (*XIVe*). **— Qc** Il n'y a pas rien qu'un chien qui s'appelle Pitou [Coly, Fido, Pataud, etc.] ◆ Il n'y a pas rien qu'un bœuf qui s'appelle Taupin. **— Ang.** There are more Jacks than one [There are (There is) more than one Jack] at the fair.

APPÉTIT

L'APPÉTIT VIENT EN MANGEANT. — Le goût vient par la pratique. *En usage au Québec.* **— Fr.** En mangeant, l'appétit vient ou s'en va (*Touraine*). **— Ang.** The appetite grows with what it feeds on ♦ It grows on you (*loc. prov.*) (*É.-U.*).

ARRIVER

CE QUI DOIT ARRIVER ARRIVE. — Fr. Arrive qui plante, ce sont des choux ♦ Vienne qui plante (*XVIIe*). **— Qc** Arrive qui plante. **— Ang.** Come what may ♦ Come hell or high water.

BOIRE

LE VIN [QUAND LE VIN] EST TIRÉ, IL FAUT LE BOIRE. — *Cité par Baïf,* Enseignements et proverbes, *r. XVIe.* **— Qc** Quand on est à l'eau, il faut nager. **— Ang.** In for a penny, in for a pound.

BONNES INTENTIONS

L'ENFER [LE CHEMIN DE L'ENFER] EST PAVÉ DE BON-NES INTENTIONS (*r. xviiie*). — *Du latin:* Undique ad inferos tantundem viæ est. — **Qc** Le monde est rempli [est pavé] de bonnes intentions. — **Ang.** Hell [The road to hell] is paved with good intentions.

CHERCHE

QUI [CELUI QUI] CHERCHE TROUVE. — **Fr.** Cherchez et vous trouverez (*d'après* Matthieu, 7,8). — **Qc** Tout arrive plus vite à qui court après. — **Ang.** He that seeketh findeth (*vieilli*) ♦ Seek and ye shall find (*vieilli*).

COMMENCE

QUI COMMENCE BIEN FINIT BIEN. — *En usage au Québec.* — **Fr.** A moitié fait qui bien commence [qui commence bien] ♦ Qui bien engrène bien finit ♦ De bon commencement, bonne fin ♦ Heureux commencement est la moitié de l'œuvre ♦ Le bon commencement attrait la bonne fin (*xve*) ♦ Qui a bon commencement, il a une grande partie de son œuvre (*xive*). — **Ang.** A good beginning is half the battle [makes a good ending] ♦ Well begun is half done ♦ A work well begun is half ended.

COMMENCEMENT

IL Y A [UN] COMMENCEMENT À TOUT. — **Fr.** En toutes choses, il faut commencement (*xvi^e*). — **Qc** Il faut commencer par le commencement. — **Ang.** All things [Everything must] have a beginning.

CORDE

IL FAUT PUISER QUAND LA CORDE EST AU PUITS. — Fr.
Il faut battre le fer tandis qu'il est chaud (*du latin:* Dum ferrum candet, tundito) ◆ Endementres que li fers est chauz le doit len batre (*vieilli*) ◆ Len batre le fer tandis cum il est chauz (*vieilli*) ◆ Battre le fer il faut, tandis qu'il est bien chaud (*vieilli*). — **Qc** Faut battre son frère tandis qu'il est chaud ◆ Tant que la crème est chaude, vous battez le beurre. — **Ang.** Make hay while the sun shines ◆ Strike the iron while it [strike while the iron] is hot ◆ Now is the time to make the move (*É.-U.*).

CRUCHE

TANT VA LA CRUCHE À L'EAU QU'À LA FIN ELLE SE CASSE [ELLE SE BRISE, QU'ENFIN ELLE Y DEMEURE]. — *En usage au Québec.* — **Fr.** Tant va le pot au puis que il quasse (*XIIIᵉ*). — **Qc** Tant va la cruche à l'eau qu'à la fin elle se brise ◆ Quand la mesure est comble, elle renverse. — **Ang.** A pitcher goes often to the well but [A pitcher that goes often to the well] is broken at last ◆ The pitcher goes so often to the well [water] that it is broken at last.

CUISINE

GRANDES MAISONS SE FONT PAR PETITE CUISINE. — Fr. Tout fait nombre (*La Fontaine*) ◆ Cuisine étroite fait bâtir grande maison (*XVIᵉ*). — **Qc** Petite cuisine [maison], grosse famille. — **Ang.** Small winnings make a heavy purse.

DEMANDEZ ET VOUS RECEVREZ. — *Parole de l'Évangile. En usage au Québec.* — **Fr.** Qui ne demande rien n'a rien ♦ Qui ne prie ne prend. — **Qc** À cœur appelant [À cœur pur], voix répond. — **Ang.** The lame tongue gets nothing ♦ Faint heart never won fair lady (*É.-U.*).

DIEU FAIT BIEN LES CHOSES. — **Qc** Ce que Dieu [Ce que le bon Dieu] fait est bien fait. — **Ang.** What God does is well done.

DU DIRE AU FAIT, IL Y A UN GRAND TRAIT. — *Du latin:* Inter verba et actus magnus quidam mons est. — **Qc** Siffler n'est pas jouer. — **Ang.** From words to deeds is a great space.

FAIS COMME JE DIS, NON COMME J'AGIS. — **Qc** Faites ce que je dis, faites pas ce que je fais. — **Ang.** Do as the friar says, not as he does.

LES GRANDS DISEURS NE SONT PAS LES [GRANDS] FAISEURS. — **Fr.** Brebis qui bêle perd un morceau ♦ Grande rumeur, petite toison, dit celui qui tond les

moutons ◆ Parler peu et besongner bien (*loc. prov., xv*ᵉ)
◆ De grands vanteurs [*vantards*], petis faiseurs (*xiv*ᵉ) ◆
Abondance de paroles ne va pas sans faute (*xiv*ᵉ). **— Qc**
Grand parleux [*parleur*], petit faiseux [*faiseur*]. **— Ang.**
They do least who talk most ◆ Loud talking, little doing
◆ The greatest talkers are the least doers.

ENRAGÉ

**QUI VEUT TUER [QUI VEUT NOYER] SON CHIEN LUI
FAIT ACCROIRE QU'IL EST ENRAGÉ [L'ACCUSE DE
(LA) RAGE]. — Fr.** Qui veut noyer son chien l'accuse
de la rage (*Molière,* Les femmes savantes) ◆ Qui veut
tuer son chien luy met la rage sus (*xiv*ᵉ). **— Qc** Qui en
veut à son chien, on dit qu'il enrage. **— Ang.** He that
would hang his dog gives out first that he is mad ◆ Give
a dog an ill name and hang him.

EXCEPTION

L'EXCEPTION CONFIRME LA RÈGLE. — Fr. Il n'y a pas de
règle sans exception. **— Ang.** The exception proves the
rule.

FAIRE

BIEN DIRE FAIT RIRE, BIEN FAIRE FAIT TAIRE. — Fr. Du
dit au fait, il y a un grand trait ◆ Il est plus facile de dire
que de faire ◆ Il est plus facile de conseiller que de faire
◆ Entre faire et dire, il y a moult (*vieilli*) ◆ Bien dire vaut
moult, bien faire passe tout (*xvi*ᵉ) ◆ Entre dire et faire il
y a beaucoup de différence (*xv*ᵉ) ◆ Le dire et le faire sont
deux (*xiv*ᵉ). **— Qc** Bien faire vaut mieux que bien dire. **—**

Ang. Actions speak louder than words ◆ The proof of the pudding is in the eating ◆ Brag is a good dog, but Holdfast is a better [but dare not bite] ◆ From words to deeds is a great space ◆ Good words are good but good deeds are better ◆ Talk is cheap but fish is scarce [but it takes money to cross the Atlantic, to buy rum] (*Nouvelle-Écosse, Canada*) ◆ Sooner said than done (*É.-U.*).

BIEN FAIRE ET LAISSER DIRE. – Fr. Bien faire et laisser braire. **– Qc** Laissons péter le renard. **– Ang.** Do well and dread no shame.

FAUT

IL FAUT CE QU'IL FAUT. – *En usage au Québec.* **– Fr.** Passer [Il faut passer] par là ou par la fenêtre ◆ À la guerre comme à la guerre. **– Ang.** You must either do it or get out.

FIN

LA FIN JUSTIFIE LES MOYENS. – *Du latin:* Cum finis est licitus, etiam media sunt licita. **– Qc** Tous les moyens sont bons. **– Ang.** He who wills the end wills the means ◆ The end justifies the means ◆ He who would catch fish must not mind getting wet. Any lure is good that brings the bird to the net (*É.-U.*).

LES MEILLEURES CHOSES ONT UNE FIN. – Fr. Il y a une fin à tout. Au bout de l'aune faut le drap. **– Qc** Toute bonne chose a une fin. **– Ang.** All good things come to an end ◆ There is an end to everything ◆ Everything has an end... [and a pudding has two].

FORGEANT

C'EST EN FORGEANT QU'ON DEVIENT FORGERON. — *Du latin:* Fabricando fit faber. *En usage au Québec.* — **Fr.** À force de forger, on devient forgeron ♦ Usage rend maître ♦ En forgeant devient-on febure [fevre] (*XIVᵉ*) ♦ Au faire [parfaire, persévérer] est la maîtrise (*XIVᵉ*) ♦ À le prendre est la maîtrise (*XIVᵉ*). — **Qc** En forgeant, on devient forgeron. — **Ang.** By dint of doing blacksmith's work, one becomes blacksmith ♦ Practice makes perfect ♦ Experience is [makes] the best teacher.

GUERRE

À LA GUERRE COMME À LA GUERRE (*r. XVIIIᵉ*). — *En usage au Québec.* — **Fr.** Nécessité n'a pas [point] de loi ♦ Advienne que pourra. — **Qc** On ne va pas à la guerre sans qu'il en coûte. — **Ang.** Necessity knows no law.

HASARD

IL FAUT LAISSER QUELQUE CHOSE AU HASARD. — **Fr.** Il faut faire la part de l'imprévu ♦ L'imprévu est moins rare qu'on ne pense ♦ Ce qu'art ne peut, hasard achève (*vieilli*). — **Qc** Le hasard fait bien les choses. — **Ang.** Where we least think, there goes the hare away ♦ It is the unexpected that always happens.

CHAQUE CHOSE A SON HEURE. — **Fr.** Chaque chose en son temps. — **Qc** On traverse le pont quand on est rendu à la rivière. — **Ang.** There is a time for all things.

INTENTION

L'INTENTION SUFFIT. — **Fr.** L'intention fait la valeur du don. — **Qc** C'est l'intention qui compte. — **Ang.** The will is better than the deed.

LANTERNE

GRANDE LANTERNE, PETITE LUMIÈRE. — **Fr.** C'est la montagne qui a accouché d'une souris (*d'après Horace*, L'art poétique) ♦ Belle montre et peu de rapport (*xviiie*). — **Qc** Grosse annonce, petit magasin. — **Ang.** Much ado about nothing ♦ Leaves anough but few grapes ♦ Great [much] cry and little wool [quoth the devil when he sheared his dogs] ♦ It's the mountain in labor (*É.-U.*).

QUI PEUT LE PLUS PEUT LE MOINS. – Fr. On dit bien ein' bass' mess' dins enn' gran.ne église (*Picardie [Berck]*). **– Qc** Dans un grand vaisseau [*récipient*], on met une petite part.

ON PREND PLUS DE MOUCHES AVEC DU MIEL QU'AVEC DU VINAIGRE. – Qc On attire plus de mouches avec du miel qu'avec du fiel ♦ On ne prend pas les mouches avec du vinaigre. **– Ang.** Flies are easier caught [More flies are taken] with honey than with vinegar [gall] ♦ You will catch more flies with a spoonful of honey than with a gallon of vinegar ♦ Soft words [fair, gentle words] pacify [appease] wrath ♦ Honey catches more flies than vinegar (*Nouvelle-Écosse, Canada*).

AVEC UNE BOUCHÉE, ON GAGNE UN HOMME À SA CAUSE ET AVEC UN MOT, ON PERD UN HOMME. – Fr. Trop gratter cuit, trop parler nuit ♦ La langue perce plus que glaive (*XIVᵉ*) ♦ On prend l'homme par la langue (*XVᵉ*) ♦ La langue est un bon bâton (*Guadeloupe*). **– Qc** Avec un mot, on peut pendre un homme. **– Ang.** Least said is soonest mended.

MOULIN

IL FAUT TOURNER LE MOULIN LORSQUE SOUFFLE LE VENT. — Fr. Il faut battre le fer pendant qu'il est chaud. **— Qc** Faut baiser le cul du diable quand il est frette [*froid*]. **— Ang.** Strike while the iron is hot ♦ Make hay while the sun shines ♦ Make hay while the sun is shining (*É.-U.*).

MOYENS

QUI VEUT LA FIN VEUT LES MOYENS. — *En usage au Québec.* **— Qc** Pas de farine, pas de pain. **— Ang.** As we will the end, we must will the means ♦ He who wills the end wills the means ♦ He who would catch fish must not mind getting wet ♦ Any lure is good that brings the bird to the net (*É.-U.*).

MÛR

IL FAUT RÉCOLTER LE BLÉ QUAND IL EST MÛR. — Fr. Quand la poire est mûre, il faut qu'elle tombe (xixe). **— Qc** Quand le blé est mûr, on le fauche ♦ Quand le fruit est mûr, il tombe. **— Ang.** The ripest fruit first falls (*d'après Shakespeare*).

ŒUFS

ON NE FAIT PAS D'OMELETTES SANS CASSER DES ŒUFS. – Qc On ne fait pas d'élection avec des prières. **– Ang.** You cannot make an omelette without breaking eggs ♦ You can't drive a windmill with a pair of bellows ♦ You can't drive a railroad spike with a tack hammer ♦ Strike where you must, let the chips fall where they will ♦ A mouse is not sent to catch skunks (*Canada, É.-U.*).

PARTIR À POINT

RIEN NE SERT DE COURIR, IL FAUT PARTIR À POINT. – *Cité dans La Fontaine,* Fables, *«Le lièvre et la tortue». En usage au Québec.*

PERD

QUI PERD GAGNE. – *En usage au Québec.* **– Qc** Qui gagne perd. **– Ang.** Loser takes all.

PIERRE

PIERRE QUI ROULE N'AMASSE PAS MOUSSE (*r. xve*). – *Du latin:* Musco lapis volutus haud obducitur. *En usage au Québec. Un adage grec passé en latin dit par ailleurs:* Saxum volutum non obducitur musco. **– Fr.** Pierre souvent muée n'attire point mousse (*xvie*) ♦ Pierre volage ne queult mousse (*xiiie*). **– Ang.** A rolling stone gathers no moss ♦ A rolling stone gathers little moss (*Nouvelle-Écosse, Canada*).

PREMIER PAS

IL N'Y A QUE LE PREMIER PAS QUI COÛTE. — *En usage au Québec.* — **Ang.** The first step is the hardest [is the only difficulty].

RIEN

ON N'A RIEN SANS RIEN. — *Du latin:* Omnia cum pretio. *En usage au Québec.* — **Qc** On n'a [On ne donne] rien pour rien. — **Ang.** Nothing for nothing ♦ It takes a sprat to catch a mackerel ♦ Everything has a price tag (*É.-U.*).

RUISSEAUX

LES PETITS RUISSEAUX FONT LES GRANDES RIVIÈRES. — **Fr.** Grain à grain, la poule remplit son ventre ♦ Grandes maisons se font par petite cuisine ♦ Maille à maille se fait le haubergeon. — **Qc** C'est avec des crottes qu'on fait des tas. — **Ang.** From little things, men go on to great ♦ Little and often fills the purse ♦ Small winnings make a heavy purse.

SAVOIR

SAVOIR, C'EST POUVOIR. — *Du latin:* Scientia potestas est. — **Qc** Moins on sait, moins on fait ♦ Étudier vaut mieux qu'ignorer. — **Ang.** Knowledge is power.

SOUFFRIR

IL FAUT SOUFFRIR POUR ÊTRE BELLE. — **Qc** Il faut souffrir pour être beau [belle].

IL N'EST JAMAIS TROP TARD POUR BIEN FAIRE. — Fr.
Il est toujours temps de bien faire ◆ Ce qui est différé
n'est pas perdu. **— Ang.** Better late than never ◆ Never
too late to mend.

MIEUX VAUT [IL VAUT MIEUX] TARD QUE JAMAIS (*r.*
XIVᵉ). **— Fr.** Te presse don pas tant, t'arriveras toujours
quand toi au cimetierre (*région lyonnaise*). **— Qc** Vaut
mieux arriver en retard [arriver tard] qu'en [qu'arriver
en] corbillard.

TEMPS

CHAQUE CHOSE A [À, EN] SON TEMPS. — *D'après l'*Ecclé-
siaste. *Du latin:* Habent omnia tempora sua. *En usage*
au Québec. **— Fr.** Chaque chose a [à] sa saison ◆
Chaque chose a [à] son heure ◆ Il y a un temps pour
tout ◆ Il est temps de semer et temps de moissonner
◆ Un jour en vaut deux pour qui fait chaque chose en

son lieu (*Picardie [Berck]*) ♦ Le semer et la moisson ont leur temps et leur saison (*xɪⱽᵉ*) ♦ Il faut prendre le temps comme il vient (*xɪⱽᵉ*). **— Qc** Dans le temps comme dans le temps. **— Ang.** There is a time and place for everything ♦ There's a time for all things (*Shakespeare,* Comedy of errors) ♦ Everything hath its time.

TOUT

C'EST BIEN [DE TOUT] COMME DE TOUT. — Fr. Rhume négligé dure 6 semaines, rhume soigné dure 40 jours (*Champagne*) ♦ Le catarrhe, si on ne le soigne pas, dure 60 jours, si on le soigne, dure 61 (*pays niçois*) ♦ Il faut que la maladie prenne son cours (*xvɪᵉ*). **— Qc** Soignez un rhume, il dure trente jours, ne le soignez pas, il dure un mois.

UNIVERS

QUE SERT À L'HOMME DE GAGNER L'UNIVERS S'IL VIENT À PERDRE SON ÂME. — Qc Que sert à l'homme de gagner l'univers s'il n'a pas de culotte pour passer l'hiver.

VIN

QUAND LE VIN EST TIRÉ, IL FAUT LE BOIRE. — Fr. Vin versé, il faut le boire (*xvɪᵉ*). **— Qc** Puisque le vin est servi, il faut le boire. **— Ang.** In for a penny, in for a pound (*approximatif*).

VOULOIR, C'EST POUVOIR. — Fr. À bonne volonté, ne faut faculté (*ancien*) ♦ Qui peut, il veut, qui a il a (*xvᵉ*). — **Qc** Qui [un gars qui] veut [c'est un gars qui] peut. — **Ang.** When there is a will, there is a way ♦ Will is power ♦ Where there's a will, there's a way ♦ A wilful man will have his way (*É.-U.*).

Amitié / amour

AIME

QUI AIME BIEN CHÂTIE BIEN. — *Du latin médiéval:* Que bene amat, bene castigat. *En usage au Québec.* — **Fr.** Qui bien ayme bien chatie (*xvie*) ♦ Qui bien ayme ses enfans les doit corriger souvent (*xvie*) ♦ Qui bien aime bien chastie (*xive*). — **Ang.** Spare the rod and spoil the child.

AIMER

IL FAUT AIMER POUR ÊTRE AIMÉ. — **Qc** L'amour fait le bonheur.

AMI

UN BON AMI VAUT MIEUX QUE CENT PARENTS. — **Qc** On [On choisit ses amis mais on] ne choisit pas ses parents. — **Ang.** A good friend is my nearest relation ♦ A father is a treasure, a brother a comfort, but a good friend is both.

AMIS

DIEU ME GARDE DE MES AMIS, JE ME GARDERAI DE MES ENNEMIS. — **Fr.** Dieu me garde de mes amis, quant à mes ennemis, je m'en charge (*formule attribuée à Voltaire*) ♦ On n'est jamais trahi que par les siens. — **Qc** Un tchomme (*de l'angl.* chum, *ami*), c'est comme un frère, puis [et] un frère, c'est [comme] un chien. — **Ang.** Save me from my friends ♦ Defend me from my friends, I can defend myself from my enemies ♦ A man's worst enemies are often those of his own house.

AMOUR

L'AMOUR EST AVEUGLE. — Fr. Amour aveugle raison ♦ Amours ne voient goutes (*XIVᵉ*). **— Qc** On ne peut [pas] empêcher [Tu ne peux pas empêcher] un cœur d'aimer. **— Ang.** Love is blind.

AMOUR

L'AMOUR EST FORT COMME [EST PLUS FORT QUE] LA MORT (*r. XIVᵉ*). — *D'après le* Cantique des Cantiques. **— Fr.** Amour vainc tout et argent fait tout (*XVIᵉ*) ♦ L'amour vainc tout [tous] (*XIVᵉ*) ♦ Amour est forte comme la mort (*XIVᵉ*) ♦ Omnia vincit amor (*Virgile*). **— Qc** L'amour, ça bat la police. **— Ang.** Love is stronger than death.

LES AMOUREUX VIVENT D'AMOUR ET D'EAU FRAÎCHE.
— **Qc** Les amoureux sont seuls au monde. — **Ang.**
Lovers live by love as larks by leeks.

BESOIN

AU BESOIN CONNAÎT-ON [ON CONNAÎT] L'AMI. — Fr.
Au besoin voit-on [congnoit-on] ses amis (*XIV*[e]). — **Qc**
Dans le besoin, on connaît ses amis. — **Ang.** In time
of prosperity friends there are plenty, in time of
adversity not one among twenty ◆ A friend in need is
a friend indeed (*É.-U.*).

CŒUR

CŒUR CONTENT SOUPIRE SOUVENT. — *En usage au
Québec.*

CŒUR QUI SOUPIRE N'A PAS CE QU'IL DÉSIRE. — Qc
Cœur qui soupire n'a pas [tout] ce qu'il désire.

MAINS FROIDES, CŒUR CHAUD. — *En usage au Québec.*
— **Fr.** Froid aux mains, chaud au cœur ◆ À main froide,
cœur chaud ◆ Froides mains, chaudes amours ◆ Main
froide, amour chaud ◆ Main froide, cœur bien placé
(*Anjou, Bretagne*). — **Ang.** A cold hand and a warm
heart.

HOMME

IL N'EST PAS BON QUE L'HOMME SOIT SEUL. — *D'après* Genèse, 2,18. — **Fr.** L'homme qui est seul est fol (*xvie*). — **Qc** Un homme sans femme ne tient pas l'hiver. — **Ang.** It is not good that the man should be alone.

JALOUSIE

IL N'Y A PAS D'AMOUR SANS JALOUSIE. — Qc Il n'y a pas d'amour sans jalousie. — **Ang.** Love is never without jealousy.

JEU

HEUREUX AU [EN] JEU, MALHEUREUX EN AMOUR. — *En usage au Québec.* — **Fr.** Heureux en [Qui est heureux au] jeu, malheureux [ne sera pas heureux, sera malheureux] en femme. — **Qc** Chanceux aux cartes, malchanceux en amour. — **Ang.** Lucky at cards, unlucky at love.

MALCHANCEUX [MALHEUREUX] AU JEU, HEUREUX EN AMOUR. — Qc Malchanceux aux cartes, chanceux en amour. — **Ang.** Unlucky at cards, lucky in love.

RATS

LES RATS QUITTENT LE NAVIRE QUI COULE. — Qc Quand le feu prend à la maison, les souris sortent. — **Ang.** Rats desert a sinking ship ♦ Fair-weather friend (*nom composé*) (*É.-U.*).

C'EST TROP AIMER QUAND ON EN MEURT (*vieilli*). **— Qc**
Tout amour qui passe l'eau se noie.

UN

UN [POUR UN] DE PERDU, DIX DE RETROUVÉS. — Fr.
Une de perdue, deux de retrouvées ♦ Un nouvel amour
en remplace un ancien ♦ Pour un perdu, deux retrouvés
(*XIIIᵉ*). **— Qc** Un [Une] de perdu[e], dix de retrouvé[e]s.
— Ang. One love expels another ♦ There are as good
fish in the sea as ever came out of it.

Avant / après

IL NE FAUT PAS METTRE LA CHARRUE DEVANT LES BŒUFS (r. XIVᵉ). — **Fr.** Il ne faut pas abrider son cheval par la queue (*vieilli*) ♦ Folie est mettre la charrue devant les bœufs (XVIᵉ) ♦ Mettre la pierre devant la faulx (*loc. prov.*) (XVᵉ). — **Qc** Il ne faut pas mettre la charrue devant [avant] les [en avant des] bœufs. — **Ang.** One must [Do] not [Don't] put the cart before the horse ♦ Don't put the plough before the oxen.

AUJOURD'HUI CHEVALIER, DEMAIN VACHER. — Fr. Un homme aujourd'hui vaut mieux qu'un vaurien demain (*approximatif*). — **Qc** Un héros aujourd'hui, un vaurien demain. — **Ang.** Today a man, tomorrow none.

À CHOSE FAITE, POINT DE REMÈDE. — *Du latin:* Factum illud, fieri infectum non potest. *En usage au Québec.* — **Fr.** Ce qui est fait est fait ♦ Quand le chien se noie, chacun lui porte de l'eau ♦ Après la mort, le médecin ♦ Après la fête, on gratte la tête ♦ À tort l'oiseau crie quand il est pris ♦ Plus le temps de fermer l'écurie quand le cheval en est sorti ♦ Le moulin ne moult pas avec l'eau coulée en bas (*vieilli*) ♦ Chasteau pris n'est plus secourable (*vieilli*) ♦ Ce qui est perdu est perdu (XVᵉ) ♦ Qui a perdu a perdu (XIVᵉ). — **Qc** C'est trop tard

pour serrer les fesses quand on a fait au lit. **— Ang.**
Care is no cure ◆ What is [Things] done cannot be
undone ◆ It is no use crying over spilt milk ◆ Lock the
stable door after the horse is stolen [*loc. prov.*] ◆ It's
ower late to lout when the head's got a clout [It's past
joking when the head's off] (*Écosse*) ◆ You can't
unscramble eggs ◆ Don't cry [It's no use crying] over
spilt milk [there is enough water in it already] (*É.-U.*).

CORDE

**IL NE FAUT PAS ACHETER LA CORDE AVANT D'AVOIR
LE VEAU. — Fr.** Il ne faut pas vendre la peau de l'ours
avant de l'avoir tué. **— Qc** Il ne faut pas [Faut pas, On
ne doit jamais] faire [acheter] la corde [parler de corde]
avant [d'avoir] le veau. **— Ang.** Don't cry herrings till
they are in the net ◆ First catch your hare, then cook it
◆ Don't put the plough before the oxen ◆ Do not shout
dinner till you have your knife in the loaf (*Ontario,
Canada*).

ÉTABLE

**IL NE FAUT PAS FAIRE L'ÉTABLE AU VEAU AVANT
QU'IL SOIT NÉ. — Fr.** Il ne faut pas compter l'œuf
dans le cul de la poule ◆ Pour faire un civet, prenez un
lièvre ◆ Trop tost se vante qui aulx plante (*xive*). **— Qc**
Il ne faut pas préparer le [la] poêle avant d'avoir le
poisson. **— Ang.** It's good [Never fry a] fish if it were
but [till it's] cought ◆ Don't sell the skin till you have
cought the bear ◆ Don't count your chickens before
they are hatched ◆ Praise the bridge after you have
walked over it (*Terre-Neuve, Canada*) ◆ Don't halloo
until you are out of the wood (*É.-U.*).

FAIT

CE QUI EST FAIT EST FAIT. — Fr. Ce qui est passé ne peut revenir [est passé]. — **Qc** Ce qui est passé est passé. — **Ang.** Don't cry over spilled milk ♦ Let bygones be bygones ♦ No news is staler than yesterday's news (*É.-U.*).

FER

IL FAUT BATTRE LE FER PENDANT [QUAND, TANDIS] QU'IL EST CHAUD. — Fr. Endementres que li fers est chauz le doit len batre (*vieilli*) ♦ Len batre le fer tandis cum il est chauz (*vieilli*) ♦ Battre le fer il faut, tandis qu'il est bien chaud (*vieilli*). — **Qc** Il faut battre le fer quand il [tandis qu'il] est chaud. — **Ang.** Make hay while the sun shines ♦ Strike the iron while it is hot ♦ Now is the time to make the move (*É.-U.*).

FÊTES

IL NE FAUT PAS CHÔMER LES FÊTES AVANT QU'ELLES SOIENT VENUES. — Fr. Il ne faut pas vendre la peau de l'ours avant qu'on ne l'ait mis en terre [avant de l'avoir tué] ♦ Brebis comptées, le loup les mange. — **Qc** Ne mets jamais la clôture avant de planter les piquets. — **Ang.** Don't count your chickens before they are hatched ♦ Don't put the plough before the oxen ♦ Do not shout dinner till you have your knife in the loaf (*Ontario, Canada*) ♦ Sell not the bear's skin before you have cought him (*vieilli*) ♦ Don't count your chickens before they hatch ♦ Even with good cards, you can lose the game (*É.-U.*).

IL NE FAUT JAMAIS [PAS] DIRE: «FONTAINE, JE NE BOIRAI PAS DE TON EAU.» — *Cité par La Fontaine*, Fables. *Du latin:* Nemini dum vivit dicere licet: hoc non patiar. **— Fr.** Il ne faut jurer de rien. **— Qc** Il ne faut jamais dire: «Source, je ne boirai pas [jamais] de ton eau.» **— Ang.** Do not say: I'll never drink of this water Never is a long day [is a long term, is a long time].

QUAND LA FILLE EST MARIÉE VIENNENT DES [IL Y A ASSEZ DE] GENDRES. — Fr. C'est quand l'enfant est baptisé qu'il arrive des parrains. **— Qc** Quand les filles sont mariées, on trouve des marieux [des gendres]. **— Ang.** When the child is christened, you may have godfathers enough [to spare].

UNE HIRONDELLE NE FAIT PAS LE PRINTEMPS. — *Du latin:* Una hirundo non efficit ver. — **Qc** Le rossignol ne fait pas le printemps. — **Ang.** One swallow makes not [doesn't make a] summer [a spring... (nor one woodcock a winter)].

LENDEMAIN

NE REMETS [NE REMETTEZ] PAS AU LENDEMAIN CE QUE TU PEUX [IL NE FAUT PAS REMETTRE AU LENDEMAIN CE QUE L'ON PEUT] FAIRE LE JOUR MÊME. — *En usage au Québec.* — **Fr.** Ne remets pas à demain les affaires ♦ Ne remettez pas à demain ce que vous pouvez faire aujourd'hui ♦ Ce qu'aujourd'hui tu peux faire, au lendemain ne diffère ♦ Ce que tu peux faire au matin, n'attends vêpres le lendemain (*xvᵉ*) ♦ Ce que vous pouvez faire aujourd'huy, vous ne devez pas attendre à demain (*xivᵉ*). — **Qc** Remets jamais à demain ce que tu dois faire aujourd'hui ♦ Pourquoi attendre à c't'arlevée (*cet après-midi*) pour faire ce que tu peux faire c't'a matinée. — **Ang.** Never leave that [Defer not, Never put off] till tomorrow which you can do [what may be done] today ♦ Never put off till tomorrow what may be done today ♦ By the road of By-and-By, one arrives at the town of Never ♦ Procrastination is the thief of time ♦ Don't use the swing-it-till-Monday basket ♦ A stitch in time saves nine (*É.-U.*).

**C'EST VIANDE MAL PRÊTE QUE LIÈVRE EN BUISSON. —
Fr.** Il ne faut pas chanter le triomphe avant la victoire
♦ Il ne faut pas vendre la peau de l'ours avant de l'avoir
tué ♦ O faut baillaie (*il ne faut pas enlever*) sa veste
avant d'avoir chaud (*vieilli*) ♦ Trop tost se vante qui aulx
plante (*XIVᵉ*) ♦ Ne criez pas «des moules» avant qu'elles
ne soient au bord (*Belgique*). **— Qc** Il ne faut pas
compter ses poulets avant qu'ils soient éclos. **— Ang.**
Don't count your chickens before they're hatched ♦
Don't cry herring till they are in the net ♦ No catchie no
habie (*Grenade, Antilles*) ♦ Even with good cards you
can lose the game (*É.-U.*).

LUNDI

GROS LUNDI, GRANDE SEMAINE (*Picardie [Berck]*). **— Qc**
Petit lundi, grosse semaine (*antonyme*).

Après la mort, le médecin. **– Fr.** À tort crie l'oiseau quand il est pris ◆ Plus le temps de fermer l'écurie quand le cheval en est sorti. **– Qc** Il est trop tard pour louer sa chemise quand on a chié dedans. **– Ang.** When the horse is stolen, lock the barn door ◆ After death the doctor ◆ To lock the stable door after the horse is stolen (*loc. prov.*) ◆ It's ower late to lout when the head's got a clout (*It's past joking when the head's off*) (*Écosse*) ◆ Don't lock the barn after the horse is stolen (*É.-U.*).

TEL REFUSE QUI APRÈS MUSE (*r. XVIIᵉ*). **– Qc** Vire-vent, vire-poche.

TOUT PASSE, TOUT LASSE, TOUT CASSE [TOUT CASSE, TOUT LASSE]. – Qc Ça passe ou ça casse. **– Ang.** Time devours all things ◆ Time is a file that wears and makes no noise.

CE QUI EST PASSÉ [EST PASSÉ] NE PEUT REVENIR. – Fr. Ce qui est fait est fait ◆ Le temps perdu ne se répare jamais ◆ Le temps passé n'est plus, Margoton n'est plus (*Basse-Normandie*). **– Qc** Le temps passé ne revient pas. **– Ang.** Lost time is never found again ◆ Time fleeth without delay (*vieilli*). Let bygones be bygones ◆ No news is staler than yesterday's news (*É.-U.*).

IL NE FAUT PAS VENDRE LA PEAU DE L'OURS AVANT QU'ON NE L'AIT MIS EN TERRE [AVANT DE L'AVOIR TUÉ]. — *Cité dans les* Mémoires *de Philippe de Commynes, XVIᵉ.* — **Fr.** Brebis comptées, le loup les mange ♦ Il ne faut pas chômer les fêtes avant qu'elles soient venues ♦ Il ne faut jamais vendre la peau de l'ours qu'on ne l'ait mis par terre (La Fontaine, *Fables*) ♦ Il ne faut marchander la peau de l'ours devant que la beste soit prise et morte (*XVᵉ*) ♦ Trop tost se vante qui aulx plante (*XIVᵉ*). — **Qc** Il ne faut pas vendre la peau de l'ours avant de l'avoir tué. — **Ang.** Don't sell the skin till you have cought the bear ♦ Don't count your chickens before they are hatched ♦ It's good fish if it were but cought ♦ Sell not the bear's skin before you have cought him (*vieilli*) ♦ Don't count your chickens before they hatch ♦ Even with good cards, you can lose the game (*É.-U.*).

L'ÂNE NE SAIT CE QUE VAUT LA QUEUE QU'APRÈS L'AVOIR PERDUE. — **Qc** Une réputation perdue ne se retrouve plus. — **Ang.** The cow knows not what her tail is worth till she hath lost it.

RIRA BIEN QUI RIRA LE DERNIER. — *En usage au Québec.* — **Fr.** Il rit assez qui rit le dernier (*XVIIᵉ*). — **Ang.** He laughs best who laughs last ♦ Those that laugh last laugh loudest ♦ Better the last smile than the first laughter. ♦ He who laughs last laughs longest (*É.-U.*).

LE TEMPS PERDU NE SE RÉPARE [NE SE RETROUVE] JAMAIS [NE REVIENT PLUS]. — Fr. La marée n'attend personne ♦ Le temps perdu en vain est regretté (*xvi*^{e}) ♦ Le temps va [passe] (*xv*^{e}) ♦ On ne peut recouvrer le temps perdu (*xiv*^{e}) ♦ On ne peut recouvrer ce qui est passé (*xiv*^{e}). **— Qc** Le temps passe et ne revient plus. **— Ang.** Lost time is never found [cannot be won] again ♦ Time and tide wait for no man ♦ Time fleeth without delay (*vieilli*).

IL NE FAUT PAS CHANTER LE TRIOMPHE AVANT LA VICTOIRE. — Fr. Il ne faut pas vendre la peau de l'ours avant de l'avoir tué [avant de l'avoir mis par terre]. **— Qc** Il ne faut pas allumer le feu avant d'avoir un client. **— Ang.** Don't cry herrings till they are in the net ♦ Do not shout dinner till you have your knife in the loaf ♦ Catch the bear before you sell the skin ♦ First catch your hare than cook it (*É.-U.*).

Bon / mauvais

UN BON BÂILLEUR EN FAIT BÂILLER DEUX (*r. xix*). **— Fr.**
Un chien qui pisse fait pisser l'autre (*Belgique*). **— Qc**
Un bon chien en fait pisser un autre.

CHIEN HARGNEUX

CHIEN HARGNEUX A TOUJOURS L'OREILLE DÉCHIRÉE.
— *En usage au Québec.* **— Fr.** Chien batailleur porte les
oreilles blessées (*Aunis, Franche-Comté, Provence*). **—
Ang.** Brabbling cur never want sore ears ♦ A cumber-
some cur is hated in company ♦ A snappish cur is ever
in woe ♦ Quarrelling dogs come halting home.

DOUCEUR

PLUS FAIT DOUCEUR QUE VIOLENCE. — *Cité dans La
Fontaine, Fables.* **— Qc** La douceur vaut mieux que la
rigueur. **— Ang.** Mildness does better than harshness ♦
All doors open to courtesy.

ENTERRER

ON N'A JAMAIS LAISSÉ PERSONNE SANS L'ENTERRER (*Gascogne*). — **Qc** On ne laisse pas un chien dehors.

FUMÉE

LA FUMÉE S'ATTACHE AU BLANC. — Qc Vous ne pouvez pas empêcher un chien de chier sur une église.

HOMME

L'HOMME EST UN LOUP À L'HOMME. — *Du latin:* Homo homini lupus est. — **Qc** Où il y a de l'homme, il y a de l'hommerie. — **Ang.** Man is a wolf to man.

INJURES

LE MEILLEUR REMÈDE DES INJURES, C'EST DE LES MÉPRISER (*r. XIXᵉ*). — **Qc** Le mot chien n'a jamais mordu personne.

MÉDAILLE

CHAQUE [TOUTE] MÉDAILLE A SON REVERS (*r. XVIIIᵉ*). — **Fr.** Chaque mont a son vallon ◆ Il faut accepter le bon et le mauvais. — **Qc** Il faut voir les deux côtés de la médaille. — **Ang.** There are two sides to every picture ◆ Every medal has its reverse ◆ Every light has its shadow ◆ Every scale has its counterpoise ◆ Every tide has its ebb ◆ Every medal hath its reverse (*vieilli*).

LA MOITIÉ DU MONDE S'APPLIQUE À MÉDIRE ET L'AUTRE MOITIÉ À ÉCOUTER LES MÉDISANCES. — Qc Une moitié du monde rit de l'autre moitié.

MORCEAU AVALÉ

MORCEAU AVALÉ N'A PLUS DE GOÛT. — Qc Faites le bien et vous ferez des ingrats. **— Ang.** No longer pipe, no longer dance ◆ Eaten bread is [soon] forgotten.

PARDONNE

QUI PARDONNE AUX MAUVAIS NUIT AUX BONS. — Fr. L'offenseur ne pardonne jamais. **— Qc** On pardonne à qui sait pardonner. **— Ang.** The offender never pardons.

PÉCHÉ

ON EST TOUJOURS PUNI PAR OÙ L'ON A PÉCHÉ. — Fr. On est souvent puni par où l'on a péché (*La Fontaine et Florian*, Fables) ◆ Par telle peine est corrigé le membre qui a offensé (*XVIe*). **— Qc** Tu meurs toujours [On est toujours puni] par où tu as [on a] péché.

PRÊTE

QUI PRÊTE À L'AMI S'EN FAIT SOUVENT UN ENNEMI. — Fr. Ami au prêter, ennemi au rendre (*XVIIIe*). **— Qc** Où commence l'emprunt finit l'amitié. **— Ang.** Lend your money and lose your friend.

GRAISSEZ LES BOTTES D'UN VILAIN, IL DIRA QU'ON LES LUI BRÛLE. – Fr. Nourris un corbeau, il te crèvera les yeux ◆ Fais du bien à Bertrand, tu seras payé en chiant (*Auvergne*) ◆ C'est folie de semer les roses aux pourceaux (*XVIᵉ*) (*d'après Matthieu, 7,6, «Ne jetez pas vos perles aux pourceaux»*) ◆ On nourrit tel chien (quaiel, quayel, wagnon) qui puis cœurt sus son maistre (*XVᵉ*) ◆ Oignez vilain il vous poindra, poignez vilain, il vous oindra (*XIVᵉ*) ◆ C'est bien lessive perdue d'en laver la tête à ung âne (*XIVᵉ*) ◆ Chantez à l'âne, il vous fera des petz (*XIVᵉ*). – **Qc** Graisse les bottes d'un cochon et il te botte le cul avec. – **Ang.** Do a man a good turn and he'll never forgive you ◆ Breed up a crow and he will tear out your eyes.

ON NE PREND PAS LES MOUCHES AVEC DU VINAIGRE. – Fr. On ne prend pas le lièvre au tambour ◆ On ne prend pas des lièvres avec des tambourins (*Provence*) ◆ On prend plus de mouches avec du miel qu'avec du vinaigre (*r. XIXᵉ*). – **Qc** On n'attire [On pogne (poigne)] pas les mouches avec du vinaigre. – **Ang.** Flies are easier caught [More flies are taken] with honey than with vinegar [gall] ◆ You will catch more flies with a spoonful of honey than with a gallon of vinegar ◆ Soft words [fair, gentle words] pacify [appease] wrath ◆ Honey catches more flies than vinegar (*Nouvelle-Écosse, Canada*) ◆ Empty hands allure no hawks ◆ Wi' empty hand nae man should allure hawks (*Écosse*).

Bonheur / malheur

BEAU TEMPS

APRÈS LA PLUIE LE BEAU TEMPS (r. XIIe). — *Cité dans le* Liber Parabolarum *d'Alain de Lille. En usage au Québec.* — **Fr.** Après la nuit le jour (XVe) ♦ Après laid temps, le beau soleil (XIVe) ♦ Après beau temps, la pluie (XIVe). — **Ang.** After rain comes sunshine ♦ After clouds, fair weather.

BIEN

QUI A UNE HEURE DE BIEN, IL N'EST PAS TOUJOURS MALHEUREUX. — **Qc** Il n'y a pas de mal [on ne se fait pas de mal] à se faire du bien. — **Ang.** One day of pleasure is worth two of sorrow ♦ All work and no play makes Jack a dull boy.

BLANC PAIN

APRÈS BLANC PAIN, LE BIS OU LA FAIM (r. XVIe). — **Qc** Vaut mieux manger son pain noir de bonne heure.

BON TEMPS

APRÈS BON TEMPS, ON SE REPENT. — **Fr.** Tel rit qui après pleure (XVe) ♦ Tel rit au matin [soir] qui au soir [matin] pleure (XIVe). — **Qc** Tout coq qui chante le matin a souvent le cou cass, [dort] le soir. — **Ang.** After joy comes annoy.

PLUS ON REMUE LE BREN, PLUS ÇA PUE (*Picardie [Berck]*). **— Fr.** Il ne faut pas réveiller le chat qui dort ♦ Ne réveillez pas le chat [le chien] qui dort ♦ Il ne faut pas réveiller le chien qui dort (*r. xvie*) (*du latin:* Irritare canem noli dormire volentem) ♦ Plus on remue la merde, plus elle pue (*r. xvie*) ♦ Plus on remue la boue et plus elle pue (*xiiie*). **— Qc** Plus tu brasses la marde, plus elle pue ♦ Il ne faut pas [il ne faut jamais] remuer la vieille marde. **— Ang.** Let sleeping dogs lie ♦ It is ill to waken sleeping dogs

CHANTE

QUI CHANTE AUJOURD'HUI DEMAIN PLEURE (*Gascogne*). **— Fr.** Qui [Tel qui] rit le matin pleure le soir [le soir pleurera] ♦ Tel qui rit vendredi dimanche pleurera (*Racine, Les plaideurs, xviiie*) ♦ Toute joie finie en tristesse (*xve*) ♦ Tel rit qui après pleure (*xve*) ♦ Tel rit au matin [au soir] qui au soir [au matin] pleure (*xive*) ♦ Après grant joie grans pleurs (*xive*). **— Qc** Qui rit aujourd'hui pleurera [Si tu ris aujourd'hui, tu pleureras] demain. **— Ang.** Laugh today and cry tomorrow ♦ Laugh before breakfast, you'll cry before supper.

NE RÉVEILLEZ PAS LE CHAT QUI DORT. — Fr. Il ne faut pas réveiller le chat qui dort (*r. xvi*ᵉ) ◆ Ch'n'est qu'ein laissiant roupiller ch'marlou [*chat*] qu'ein ne rechoit pau de coups de griffes (*Picardie*). **— Qc** Il ne faut pas réveiller le chat qui dort ◆ Il ne faut pas faire sortir [laisser sortir] le chat du sac. **— Ang.** Let sleeping dogs lie ◆ Don't let the cat out of the bag (*É.-U.*).

LE SEIGNEUR CHÂTIE CELUI QU'IL AIME. — D'après *Proverbes*. **— Qc** Dieu châtie ceux qu'il aime. **— Ang.** Whom the Lord loveth, he correcteth.

CHAT ÉCHAUDÉ CRAINT L'EAU FROIDE. En usage au Québec. **— Fr.** Qui s'est brûlé la langue n'oublie pas de souffler sur la chandelle ◆ Un renard n'est pas pris deux fois à un piège ◆ échaudé eau chaude [le feu] craint (*XIVe*) ◆ Chat eschaudez iaie creint (*XIIIe*). **— Ang.** A scalded cat fears cold water ◆ Once bitten, twice shy ◆ The burnt child dreads the fire ◆ It is a silly fish that is caught twice with the same bait (*Écosse*) ◆ The best surgeon is that has been well hacked [slashed] himself (*É.-U.*).

DEUX

JAMAIS DEUX SANS TROIS. — *En usage au Québec.* **— Qc** Rarement un, jamais deux, toujours trois ◆ Quand on manque son coup une fois, on le manque trois fois ◆ Quand y en a pour deux, y en a pour trois. **— Ang.** Three is a magic number.

ÉPINES

[IL N'Y A] PAS DE ROSE SANS ÉPINES. — *Du latin:* Inter vepres rosæ nascuntur. *En usage au Québec.* **— Fr.** Il n'y a pas de viande sans os ◆ En tout pays, il y a une lieue de mauvais chemin (*vieilli*) ◆ Nulle rose sans épines (*XVIe*). — **Ang.** No [There's no] rose without a thorn ♦ No roses without [roses have] thorns ♦ No garden without [its] weeds ♦ Every sweet has its sour ♦ No reward without toil.

FEMME

QUI FEMME A, NOISE A. — Qc Cheminée qui boucane, femme qui chicane, le diable dans la cabane. — **Ang.** Smoke, raining into the house and a scolding wife will make a man run out of doors (*r. XIIe*) ♦ A whistling woman and a crowing hen is neither good for God nor men (*Terre-Neuve, Canada*).

FÊTE

IL N'Y A PAS [IL N'Y A POINT] DE [BONNE] FÊTE SANS LENDEMAIN. — Fr. Fête le jeudi, viande le vendredi (*Gascogne*) ♦ Après les excès, le régime (*Bretagne, Gascogne*). — **Qc** Fricot chez nous, pas d'école demain.

GRATTEZ

PLUS VOUS GRATTEZ, PLUS ÇA DÉMANGE. — Qc Plus on gratte, plus ça démange ♦ C'est pas en grattant le bobo qu'il va guérir plus vite. — **Ang.** The more you scratch [yourself] the more it itches ♦ Let sleeping dogs lie (*approximatif*) ♦ Let bygones be bygones (*approximatif*).

APRÈS LA NUIT LE JOUR (r. xve). — **Fr.** Après la pluie, le beau temps ♦ Entre deux montagnes, vallée, entre deux vertes, une mûre ♦ Après courroux grant joye (xve). — **Qc** Après l'hiver, il y a toujours une débâcle. — **Ang.** After rain comes sunshine ♦ After clouds, fair weather ♦ Cloudy mornings turn to clear evenings.

NOTRE JOUR VIENDRA. — **Fr.** Un coup [*Un jour*] viendra qui paiera tout (xive). — **Qc** Un jour, ce sera ton tour. — **Ang.** Our day will come ♦ Every dog has his day.

IL N'EST PAS MAL DONT BIEN NE VIENNE. — *Du latin:* Malum quidem nullum esse sine aliquo bono. — **Fr.** D'un mal, il peut sortir un bien ♦ À quelque chose malheur est bon (xive) ♦ Il n'est nul mal dont bien ne viengne (xive). — **Qc** Pas de mauvais vent qui n'apporte quelque chose de bon. — **Ang.** It's an ill wind that blows no [nobody any] good ♦ Nothing so bad in which there is not something of good.

LE MAL DE L'UN [DES UNS] NE GUÉRIT PAS LE MAL DE L'AUTRE [DES AUTRES]. — *En usage au Québec.* — **Fr.** Le mal des autres ne guérit pas le mien. — **Qc** Le malheur de l'un ne fait pas le bonheur de l'autre.

MAL SUR MAL N'EST PAS SANTÉ... [MAIS UN MAL EST PAR UN AUTRE CONTENTÉ] (r. xve). — **Qc** C'est pas un mal de ventre qui va guérir un autre mal de ventre.

MALHEUR

À QUELQUE CHOSE MALHEUR EST BON. — *En usage au Québec. Cité dans La Fontaine,* Fables. — **Ang.** Every cloud has a silver lining ♦ If the sky falls, we shall catch larks ♦ No great loss but some small profit.

LE MALHEUR DE L'UN FAIT LE BONHEUR DE L'AUTRE. — *En usage au Québec.* — **Fr.** Le malheur des uns fait le bonheur des autres. — **Ang.** One man's misfortune is another man's happiness ♦ The folly of one man is the fortune of another ♦ One man's death is another man's breath ♦ The life of the wolf is the death of the lamb.

UN MALHEUR EN AMÈNE UN AUTRE. — **Fr.** Un malheur ne vient [n'arrive] jamais seul (*du latin:* Nulla calamitas sola) ♦ Un péché attire l'autre ♦ À qui il arrive un malheur, il en advient un autre (xive) ♦ Un[e] mal [malheur, meschief, male fortune] ne vient point seul[e]. — **Qc** Quand le malheur entre dans une maison, faut lui donner une chaise. — **Ang.** Misfortunes seldom come singly [never come alone] ♦ Of one ill come many ♦ It never rains but it pours (É.-U.).

UN MALHEUR NE VIENT [N'ARRIVE] JAMAIS SEUL. — *En usage au Québec.* — **Fr.** Un malheur amène son frère ♦ À qui il arrive un malheur, il en advient un autre (*XIVe*). — **Qc** Un malheur en attire un autre [n'attend pas l'autre] ♦ Une mauvaise nouvelle n'arrive [ne vient] jamais seule ♦ Jamais deux [Jamais un sans deux, jamais deux] sans trois. — **Ang.** Misfortunes seldom come singly ♦ Of one ill come many ♦ It never rains but it pours (*É.-U.*).

MALHEUR PARTAGÉ

MALHEUR PARTAGÉ SEMBLE MOINS LOURD. — **Fr.** Au malheureux fait confort avoir compagnie dans son sort. — **Qc** Les pauvres aiment les pauvres. — **Ang.** Two in distress makes sorrow less ♦ Company in misery makes it light.

MAUX

MAUX VEUT, MAUX VIENNENT (*Picardie [Berck]*). — **Fr.** En souhaitant nul n'enrichit (*XVIIe*). — **Qc** Qui souhaite mal souvent vous arrive.

MERDE

PLUS ON REMUE LA MERDE, PLUS ELLE PUE (*r. XVIIIe*). — **Fr.** Ne réveillez pas [Il ne faut pas réveiller] le chat qui dort (*approximatif, r. XVIe*) ♦ Qui plus vit a de peine [a de peine à souffrir] (*XIVe*) ♦ Plus on remue la boue et plus elle pue (*XIIIe*). — **Qc** Plus tu joues dans le monde, plus ça pue. — **Ang.** Let sleeping dogs lie (*approximatif*).

TOUS LES JOURS NE SONT PAS NOCES. — Fr. Il n'est pas toujours [Ce n'est pas tous les jours] fête. **— Qc** On ne peut pas manger des fraises à l'année. **— Ang.** Christmas comes but once a year ♦ It's a long lane that has no turning.

PEINE

CHAQUE [À CHAQUE] JOUR SUFFIT SA PEINE. — *En usage au Québec.* **— Ang.** Sufficient unto the day is the evil thereof.

PLAISIR

JAMAIS UN PLAISIR NE SE PERD ENTRE GENS DE BIEN. **— Qc** Ça fait plaisir de faire plaisir.

REMÈDE

LE REMÈDE EST SOUVENT PIRE QUE LE MAL. — Fr. Mieux vaut [Il vaut mieux] laisser son enfant morveux que de lui arracher le nez (*d'après Montaigne*, Essais). **— Qc** Il n'est pas permis de tuer le chien pour sauver la queue de la chatte. **— Ang.** The remedy is often worse than the disease.

C'EST DEMIE VIE QUE DE RIRE. — Fr. Mieux vaut rire que pleurer (*Gascogne*). **— Qc** Il vaut mieux [en] rire que [qu'en] pleurer. **— Ang.** Laugh and grow fat ◆ Laughter, the best medicine.

TROP RIRE FAIT PLEURER. — Fr. Aise et mal se suivent de près ◆ Tel qui rit vendredi dimanche pleurera ◆ Tel rit qui après pleure (*xve*) ◆ Tel rit au matin [au soir] qui au soir [au matin] pleure (*xive*). **— Qc** Grand ricaneux, grand brailleux ◆ Grand' risée, grands pleurs. **— Ang.** He that sings on Friday will weep on Sunday ◆ Sorrow treads upon the heels of mirth.

RIT

QUI [TEL QUI] RIT LE MATIN PLEURE LE SOIR [LE SOIR PLEURERA]. — Fr. Après grant joie grans pleurs (*xive*) ◆ Toute joie finit en tristesse (*xve*) ◆ Tel rit qui après pleure (*xve*) ◆ Tel rit au matin [soir] qui au soir [matin] pleure (*xive*). **— Qc** Qui commence une journée en riant la finit en pleurant. **— Ang.** Laugh before breakfast, you'll cry before supper.

QUI RIT LE VENDREDI PLEURE LE DIMANCHE. — Fr. Tel qui rit vendredi dimanche pleurera (*Racine*, Les plaideurs, *xviiie*). **— Qc** Qui rit mardi pleure le vendredi ◆ Qui pleure mardi rit le vendredi. **— Ang.** Laugh today and cry tomorrow.

ROSE

LA VIE N'EST PAS «TOUT ROSE». — Qc La vie n'est pas rose. **— Ang.** Life is not a bed of roses.

SAINT-MARTIN

À CHAQUE PORC VIENT LA SAINT-MARTIN. — *En usage au Québec.* **— Fr.** Chacun son tour ♦ À chacun son tour de mourir. **— Ang.** Everyone must pay his debt to nature.

TEMPS

IL FAUT PRENDRE LE TEMPS COMME IL VIENT, LES GENS POUR CE QU'ILS SONT, ET L'ARGENT POUR CE QU'IL VAUT. — Fr. Temps vient et temps passe, fol est qui se compasse (*vieilli*). **— Qc** Il faut prendre la vie par le bon bout [du bon côté, par le bon côté]. **— Ang.** Time does not bow to you, you must bow to time ♦ One must learn to take the rough and the smooth.

VENTRE GAVÉ

VENTRE GAVÉ NE CHERCHE PAS [DE] QUERELLES. — Fr. Le ventre plein rend le cerveau paresseux (*du latin:* Plenus venter non studet libenter) ♦ Quand la cornemuse est pleine, on en chante mieux ♦ Bonne chère fait le cœur lie ♦ Quand le ventre est content, tout le corps s'en ressent (*Gascogne, Comtat Venaissin, Provence*) ♦ Ventre plein porte les jambes (*Provence*) ♦ Ventre plein donne de l'assurance (*Auvergne*) ♦ Qui bon morsel met en sa bouche, bone novele envoie au

cuer (*vieilli*) ◆ Ventre saoul n'a en saveur plaisance (*xv*ᵉ)
◆ Panse pleine fait dormir (*xv*ᵉ). — **Qc** Ventre plein
empêche de brailler. — **Ang.** A full stomach makes a
happy heart ◆ A belly full of gluttony will never study
willingly (*É.-U.*).

Cause / effet

IL N'Y A PAS DE FUMÉE SANS FEU. — *Du latin:* Fumus ergo ignis. *En usage au Québec.* — **Fr.** Pas [Il n'y a pas] d'effet sans cause ◆ Feu ne fut oncques sans fumée (*vieilli*) ◆ Nul feu sans fumée (*xive*). — **Ang.** Where there's smoke, there's fire.

IL N'Y A PAS DE FEU SANS FUMÉE. — **Qc** Quand la cheminée flambe, c'est signe que le poêle tire bien.

Célibat / mariage

HOMME MARIÉ

L'HOMME MARIÉ EST UN OISEAU EN CAGE. — Fr. Nul ne se marie qui ne s'en repente. **— Qc** Bague au doigt, corde au cou. **— Ang.** Wedlock is a padlock ♦ Mariage and hanging go by destiny.

MARIAGE

LE MARIAGE EST LA SAISON DES ORAGES. — Qc Le mariage, c'est un brassement de paillasse que tout en craque [que la poussière en r'vole].

MARIE

CELUI QUI SE MARIE FAIT BIEN, CELUI QUI NE SE MARIE PAS FAIT MIEUX. — Fr. Si tu ne veux pas te tromper, il ne faut pas te marier (*Auvergne*) ♦ Il y a plus de mariés que de contents (*Morvan*) ♦ Quand vous voulez avoir des ennuis, achetez une montre, mariez-vous ou donnez un coup de pied à un moine (*Provence*). **— Qc** Marie-toi, tu fais bien, marie-toi pas, tu fais mieux. **— Ang.** Who marries does well, who marries not does better.

NUL NE SE MARIE QUI NE S'EN REPENTE. — Qc Qui prend mari prend souci.

**QUI SE MARIE PAR AMOUR A BONNES NUITS ET MAU-
VAIS JOURS. — Qc** Le mariage est un p'tit bonheur qui
monte au deuxième étage pour faire son lavage.

MARIER

**QUI LOIN VA SE MARIER SERA TROMPÉ OU VEUT
TROMPER. — Fr.** Qui se marie dans son pays boit à
la bouteille, qui se marie en dehors boit au flacon (*Provence*). **— Qc** Marie-toi devant ta [Pour vivre heureux en
ménage, il faut se marier devant sa] porte avec quel-
qu'un de ta [sa] sorte.

POULE

**LE MÉNAGE VA MAL QUAND LA POULE CHANTE PLUS
HAUT QUE LE COQ. — Fr.** La poule ne doit pas chanter devant le coq ◆ Quand une poule chante le coq, elle
chante sa mort ou celle de son maître (*Franche-
Comté*) ◆ Quand le coq a canté, le glaine (*poule*) doit
se taire (*Picardie*) ◆ Malheureuse maison [La maison
est misérable] et méchante où coq se tait et poule
chante [où la poule plus haut que le coq chante] (*xviie*
et Molière, Les femmes savantes). **— Qc** Une poule qui
chante comme le coq n'est bonne qu'à tuer. **— Ang.** It
is a sad house where the hen crows louder than the
cock.

Certitude / incertitude

TENIR

IL VAUT MIEUX TENIR QUE COURIR. — Fr. On sait ce qu'on quitte, on ne sait pas ce qu'on trouve ♦ Mieux vaut un tenez que deux vous l'aurez (*vieilli*) ♦ Mieux vaut un tiens que deux tu l'auras (*xvᵉ*). **— Qc** Un chien vaut mieux que deux angoras [que deux petits verrats]. **— Ang.** Quit not [Never quit] certainty for hope.

TIENS

UN TIENS VAUT MIEUX QUE DEUX TU L'AURAS... [*L'UN EST SÛR, L'AUTRE NE L'EST PAS*]. *D'après La Fontaine*, Fables. *Se dit par qui doute d'une promesse.* **— Fr.** Il vaut mieux tenir que courir ♦ Le moineau pris [Le moineau en cage] vaut mieux [Mieux vaut moineau en cage] que l'oie qui vole [que poule d'eau qui nage] ♦ Mieux vaut un pain dans la main qu'une brioche à la vitrine ♦ Un moineau dans la main vaut mieux qu'une grue qui vole ♦ I veut miux t'nir équ'courir (*Picardie [Berck]*) ♦ Il vaut mieux un lièvre au carnier que trois dans un champ (*Auvergne*). **— Qc** Vaut mieux dire: «Je tiens» que: «Je tiendrai». **— Ang.** A bird in the hand is worth [Better a bird in the hand than] two in the bush [in the wood] ♦ One bird in the net is worth a hundred flying ♦ An egg today is better than a hen tomorrow ♦ A pound in the purse is worth two in the book.

Chez soi / ailleurs

AUTRES

À D'AUTRES! — Qc Pas dans ma cour!

CHEZ SOI

ON N'EST [NULLE PART SI] BIEN QUE CHEZ SOI. — *Du latin:* Nullus est locus domestica sede iucundior. **— Qc** On est toujours mieux dans nos souliers ♦ On marche toujours de travers sur un plancher qui nous appartient pas. **— Ang.** East [or] west, home is [home's] best.

CHEZ-SOI

UN PETIT CHEZ-SOI VAUT MIEUX QU'UN GRAND CHEZ LES AUTRES (*Bourbonnais*). **— Fr.** Il vaut mieux labourer avec ses vaches qu'avec les bœufs du voisin (*Auvergne*). Mieux vaut ta propre morue que le dindon des autres (*Martinique*). **— Qc** Un petit chez-nous vaut un grand ailleurs [vaut deux châteaux en Espagne]. **— Ang.** Be it ever so humble, there's no place like home ♦ A fool knows more in his own house than a wise man in another.

LE COQ EST BIEN FORT SUR SON FUMIER. — *Du latin:* Gallus in suo sterquilinio plurimum potest. — **Qc** Nul n'est trop bête en son pays. — **Ang.** A cock is bold on his own dunghill.

FEMME

LA FEMME EST L'ÂME DU FOYER. — **Fr.** Femme bonne vaut couronne ♦ Femme travailleuse, homme content (*Languedoc*) ♦ Tant vaut la femme, tant vaut le ménage (*Franche-Comté*) ♦ Heureux est cilz qui treuve bonne femme (*xiv*e*). — **Qc** C'est la bonne femme qui fait le bon mari.

LES HOMMES FONT LES MAISONS MAIS LES FEMMES FONT LES FOYERS. – **Fr.** Maison sans flamme, corps sans âme (*XVIe*). – **Qc** Une maison sans feu est comme un corps sans âme. – **Ang.** Men make houses but women make homes.

LINGE SALE

IL FAUT LAVER SON LINGE SALE EN FAMILLE. – *En usage au Québec.* – **Fr.** Il faut laver ce qui est sale en famille (*Gascogne*). – **Ang.** Do not wash [your] dirty linen in public.

MAÎTRE

CHARBONNIER [LE CHARBONNIER] EST MAÎTRE CHEZ SOI [CHEZ LUI] (*r. XVIIe*). – *Du latin:* Quilibet est rex in domo sua. *En usage au Québec.* – **Qc** Un bûcheron est maître dans sa maison. – **Ang.** A man's house is his castle ♦ An Englishman's home is his castle.

PAYS

AUTRE[S] PAYS, AUTRES MŒURS. – *Du latin:* Quot regiones, tot mores. *En usage au Québec.* – **Fr.** Chaque pays, chaque mode, chaque tchu, chaque crotte (*Picardie [Berck]*) ♦ Homme doit vivre selon le pays où il est (*XVe*). – **Qc** Chaque pays fournit son monde. – **Ang.** So many countries, so many customs.

NUL N'EST PROPHÈTE DANS [EN] SON PAYS (*r. xive*). — *D'après* Matthieu, *13,57*. — **Fr.** En son pays prophète sans pris (*xvie*). — **Qc** Personne n'est prophète dans son pays. — **Ang.** No man is a prophet in his own country ♦ A prophet has no honour in his own country.

ROBE DE VELOURS

ROBE DE VELOURS, VENTRE DE BURE. — **Fr.** Ventre de son, robe de velours ♦ Tout pour la façade ♦ Manteau de velours, ventre de son (*Touraine*) ♦ Robe de soie, ventre de son (*Anjou*) ♦ Habits d'or et ventre de son (*Franche-Comté*) ♦ Femme acariâtre, femme de bal, peu de besogne et la fait mal (*Provence*) ♦ Ménagère qui suit les bals laisse brûler la viande (*Provence*). — **Qc** Robe de velours éteint le feu à la maison. — **Ang.** He hangs up his fiddle when he gets home (*loc. prov.*).

VACHES

IL VAUT MIEUX LABOURER AVEC SES VACHES QU'AVEC LES BŒUFS DU VOISIN (*Auvergne*). — **Fr.** Un petit chez-soi vaut mieux qu'un grand chez les autres (*Bourbonnais*) ♦ Mieux vaut ta propre morue que le dindon des autres (*Martinique*). — **Qc** Une tartine de sirop chez nous est parfois meilleure qu'un banquet ailleurs ♦ Mon verre n'est pas grand mais je bois dans mon verre. — **Ang.** Dry bread at home is better than roast meat abroad ♦ Be it ever so humble, there's no place like home ♦ A fool knows more in his own house than a wise man in another.

Connaissance / ignorance

DIEU

DIEU SEUL LE SAIT. — Qc Le bon Dieu le sait, le diable s'en doute. **— Ang.** God [above only] knows.

JURER

IL NE FAUT JURER DE RIEN. — Fr. Il ne faut pas dire: «Fontaine... je ne boirai pas de ton eau.» (Fables *de La Fontaine*) ♦ Cent ans, ce n'est guère, mais jamais, c'est beaucoup (*XVIIe*). **— Qc** Il ne faut jamais dire jamais. **— Ang.** Never is a long day [is a long term] ♦ One can't be certain of anything ♦ Let none say: «I will not drink of this water.»

NOUVELLES

PAS DE NOUVELLES, BONNES NOUVELLES (*r. XVIIIe*). — *En usage au Québec.* **— Ang.** No news is good news ♦ Bad news travels fast (approximatif).

LA NUIT, [TOUS] LES CHATS SONT GRIS. — *Du latin:* Tenebris negrescent omnia circum. — **Fr.** De nuit, tout blé semble farine ◆ Par nuyt semble bren farine (*xvᵉ*). — **Qc** La nuit [À la nuit noire], tous les chats sont noirs [sont gris, sont de la même couleur]. — **Ang.** All cats are [alike] grey in the night ◆ Joan is as good as my lady in the dark ◆ When the candles are away, all cats are grey.

PORTES

QUAND LES PORTES SONT FERMÉES, ON NE SAIT POINT CE QUI SE CACHE DANS LES MAISONS (Picardie). — **Fr.** Le serpent est caché sous les fleurs. — **Qc** On ne sait pas ce qui se passe dans le ventre du bedeau. — **Ang.** A snake in the grass.

SAIT

ON NE SAIT JAMAIS... [CE QUE L'AVENIR NOUS RÉSERVE]. — **Fr.** Vous ne savez pas ce qui arrivera demain. — **Qc** On ne sait pas ce que nous réserve l'avenir. — **Ang.** You [One] never can tell [what future has in store] ◆ The time to come is no more ours than the time that is passed ◆ Ye know not what shall be on the tomorrow (*vieilli*).

IL N'EST SECRET QUE DE RIEN DIRE. — Fr. Secret de deux, secret de Dieu, secret de trois, secret de tous ♦ Secret de trois, secret de tous (*r. xviie*) ♦ Tant que tu sais ton secret il est en chartre, mais sitost que l'as descouvert tu es ou dongier et prison de cellui à qui tu l'as dit (*xive*). **— Qc** Un secret partagé perd sa valeur. **— Ang.** Three may keep counsel if two be away.

LE SERPENT EST CACHÉ SOUS LES FLEURS. — Fr. Y avoir anguille sous roche (*loc. prov.*). **— Qc** Il y a toujours anguille sous roche. **— Ang.** There is a snake in the grass ♦ There is something in the wind ♦ There's a nigger in the wood pile (*É.-U.*).

IL N'EST [IL N'Y A PAS DE] PIRE SOURD QUE CELUI QUI NE VEUT PAS ENTENDRE. — *En usage au Québec.* **— Fr.** Il n'est pire aveugle que celui qui ne veut pas voir

♦ Il n'y a point de pires sourds que ceux qui ne veulent point entendre (*cité dans Molière,* L'amour médecin) (*du latin:* Deterior surdus eo nullus qui renuit audire) ♦ Il n'est si manz sours com cis qui ne veut oir (*vieilli*) ♦ N'est si mal sourd comme cil qui ne veut ouir goutte (*xive*) **— Ang.** None so deaf as those who won't hear ♦ None so blind as those who won't see.

VIVRA

QUI VIVRA VERRA (*r. xve*). **— Fr.** À la fin s'çaura on qui a le droict (*xvie*) ♦ Qui vit, il voit (*xive*). **— Qc** Qui vivra verra [en verrat] ♦ On ne sait jamais ce qui nous pend au bout du nez. **— Ang.** Time will tell ♦ Wait and see.

Contentement / convoitise

PLUS ON A, PLUS ON VEUT AVOIR. — Fr. Glout n'est jamais saoul, plus a, plus veut ◆ Ceux qui plus ont, plus envis meurent (*xve*) ◆ Quant plus a, et plus veult avoir (*xve*) ◆ Tant com plus a li convoiteux, plus désire (*xive*) ◆ A convoitise rien ne suffist (*xive*) ◆ Qui plus a, plus convoite (*xive*) ◆ Qui plus a plus li convient (*xive*). — **Qc** Plus on en a, plus on en veut. — **Ang.** The more one has, the more one wants ◆ The miser's bag is never full.

QUAND ON N'A PAS CE QUE L'ON AIME, IL FAUT AIMER CE QUE L'ON A (*r. xve*). — **Qc** Quand on n'a pas ce qu'on aime [ce qu'on veut], on chérit [on prend] ce qu'on a. — **Ang.** Where the goat is tethered, she must browse ◆ A man must plough with such oxen as he has ◆ If thou hast not a capon, feed on a onion (*vieilli*).

QUI VEUT TOUT AVOIR N'A RIEN. — Fr. Cil qui tout convoite tout perd (*xiiie*). — **Qc** On perd tout en voulant trop gagner. — **Ang.** Much would have more and lost ◆ Striving to better oft, we mar what's well.

OÙ LA CHÈVRE EST ATTACHÉE, IL FAUT QU'ELLE BROUTE. — Fr. Quand on n'a pas ce que l'on aime, il faut aimer ce que l'on a (*r. XVe*). **— Qc** On bourre sa pipe avec le tabac qu'on a. **— Ang.** Where the goat is tethered, she must browse ♦ One should do the best of circumstances ♦ A man must plough with such oxen as he has ♦ If thou hast not a capon, feed on a onion (*vieilli*).

CONVOITE

QUI TOUT CONVOITE TOUT PERD. — Fr. La convoitise rompt le sac ♦ Qui veut tout avoir n'a rien ♦ Ambition, mère d'avarice (*XVIe*). **— Qc** L'ambition fait mourir son maître ♦ Il ne faut pas ambitionner sur le pain bénit. **— Ang.** Ambition often overleaps itself ♦ Covetousness breaketh the bag ♦ All covet, all lose ♦ Striving to better oft we mar what's well (*vieilli*).

DIABLE

PLUS LE DIABLE A, PLUS IL VEUT AVOIR. — Fr. Qui plus a plus convoite ♦ Plus on a, plus on veut avoir ♦ Et plus a le diable, plus veut avoir (*xvie*) ♦ Nul n'est content de ce qu'il a (*xvie*) ♦ Un avaricieux n'a jamais suffisance (*xvie*) (*du latin:* Semper avarus eget) ♦ Quant plus il a, plus il vouldroit avoir (*xve*) ♦ Qui plus a plus convoite (*xive*) ♦ Plus a le diable, plus veut avoir (*xiiie*). — **Qc** Plus le diable en a, plus il veut en avoir. — **Ang.** The miser's bag is never full ♦ The more one has, the more one wants.

GAGNER

ON RISQUE DE TOUT PERDRE EN VOULANT TROP GA-GNER. — Qc Qui risque un œil les perd les deux ♦ Qui risque tout perd tout. — **Ang.** Grasp all, lose all ♦ He that grasps at too much holds nothing fast ♦ Much would have more and lost all.

LIÈVRES

QUI COURT [QUI POURSUIT] DEUX LIÈVRES [À LA FOIS] N'EN PREND AUCUN [N'EN PRENDRA AUCUN]. — *Du latin:* Duos qui lepores sequitur, neutrum capit et Duos insequens lepores neutrum capit. — **Fr.** Il ne faut pas courir deux lièvres à la fois (*r. xixe*). — **Qc** Faut jamais courir deux lièvres à la fois ♦ Vouloir tuer [courir, couvrir] deux lièvres à la fois, tu les perds [on les manque] tous les deux ♦ Il ne faut pas mettre trop de fers au feu. — **Ang.** If you run after two hares, you will catch neither.

SI ON LUI EN DONNE LONG COMME LE DOIGT, IL EN PREND LONG COMME LE BRAS. — Fr. Si vous lui donnez un pied, il en prendra quatre ♦ Si vous lui donnez un pied, il vous prendra la jambe ♦ Amène le diable jusqu'au bénitier, il ira tout seul jusqu'au chandelier ♦ Si on luy donne un pouce, il en prendra grand comme le bras (*vieilli*). — **Qc** Si tu lui en donnes [Quand on en donne] un pouce, il va en prendre [on en prend] un pied. — **Ang.** Give an inch and he'll take an ell ♦ Give an inch and he'll take a mile ♦ Give a clown your finger [your foot] and he'll take your [whole] hand (*É.-U.*).

VOISIN

IL N'Y A PAS DE TERRE SANS VOISIN (*r. xix*e). — **Fr.** Moisson d'autrui plus belle que la sienne (*xvii*e) (*d'après Ovide,* L'art d'aimer*: «Dans le champ d'autrui, la moisson est toujours plus belle»*). — **Qc** L'herbe est [toujours] meilleure [plus verte] dans le clos [dans le champ, sur le terrain] du voisin ♦ Ce qui mijote dans la marmite du voisin paraît toujours meilleur ♦ C'est toujours plus beau dans le terrain [le champ] du voisin. — **Ang.** The grass is always greener in the other fellow's yard [on the other side of the street] (*É.-U.*).

Corrélation / réciprocité

CHARDONS

SI VOUS RAMASSEZ DES CHARDONS, ATTENDEZ-VOUS À AVOIR DES ÉPINES. — Fr. Qui sème le vent récolte la tempête (*r. XVIIIe, d'après Osée, 8,7*) ◆ Qui mal quiert [pourchasse], mal lui vient (*XIVe*) ◆ Qui plus esmuet [*brasse*] merde [*la fange*] et plus pust [et plus doit mal sentir] (*XIVe*). — **Ang.** He that [Who] sows the wind will reap the whirlwind ◆ He that sows iniquity shall reap sorrow ◆ He that sows [Gather] thistles shall reap [shall expect] prickles.

COUTEAU

SELON LE PAIN, IL FAUT LE COUTEAU. — Fr. Selon la gaine, le cousteau (*vieilli*). — **Qc** Chaque patte veut son clou. — **Ang.** Different sores must have different salves.

CRACHE

QUI CRACHE AU [CONTRE LE] CIEL, IL LUI RETOMBE SUR LE VISAGE [IL LUI TOMBE SUR LA TÊTE]. — Fr. Lorsqu'on crache en l'air, on ne sait jamais sur quel nez cela retombera ◆ Qui crache en l'air [au ciel] reçoit le crachat sur soi (*XVIe*). — **Qc** Crache [Qui crache, Quand on crache] en l'air, tombe [ça lui (nous) retombe, ça retombe, ça nous tombe] sur le [bout du] nez. — **Ang.** Curses [Chickens and cursus] come home to roost ◆ Who spits against heaven, it falls in his face ◆ Don't spit at the Heavens.

À MALIN, MALIN ET DEMI. – Fr. À voleur, voleur et demi ◆ À Normand, Normand et demi ◆ À bon chat, bon rat ◆ Le petit oiseau a dit: ce qu'il t'a fait, fais-le lui (*Basse-Normandie*) ◆ Le renard est bien fin, mais celuy qui le prend l'est encore davantage (*vieilli*) ◆ À renard renard et demy (*xvie*) ◆ À trompeur trompeur et demi (*xve*) ◆ On doit ruser les ruseurs (*xive*) ◆ Les moqueurs sont souvent moqués (*xive*) ◆ Moquin moqua[r]t (*xive*). – **Qc** Cochon [À cochon], cochon et demi. – **Ang.** To a crafty man, a crafty and a half ◆ Diamond cuts diamond ◆ Set a thief to catch a thief.

À BON CHAT, BON RAT. – *En usage au Québec.* – **Fr.** Fin contre fin ◆ – **Ang.** Tit for [a] tat [is fair play] ◆ A Rowland for an Oliver.

AUX GRANDS MAUX, LES GRANDS REMÈDES. – *Du latin:* Extremis malis, extrema remedia. *En usage au Québec.* – **Fr.** À mal désespéré, remède héroïque ◆ A rude asne, rude asnier (*vieilli*). – **Ang.** Desperate ills call for [Desperate cuts, Desperate diseases must have] desperate cures ◆ Desperate diseases require desperate remedies.

UN SERVICE EN VAUT UN AUTRE. — Fr. Le bon service amène le bénéfice ♦ À beau jeu beau retour ♦ Un prêt vaut un rendu ♦ Passe-moi la casse et je te passerai le séné ♦ À charge de revanche ♦ Un bienfait n'est jamais perdu (*xvi*e). **— Qc** Un service en attire [en appelle] un autre. **— Ang.** One good turn deserves another ♦ Claw me and I'll claw thee.

VENT

QUI SÈME LE VENT RÉCOLTE LA TEMPÊTE. — Qc Si on a commencé le bal, il faut s'attendre à ce que la danse continue. **— Ang.** He that sows thistles shall reap prikles ♦ He that sows iniquity shall reap sorrow.

Don / réclamation

AUMÔNE

DONNER L'AUMÔNE N'APPAUVRIT PERSONNE. – Qc La charité n'a jamais appauvri. **– Ang.** Whatever is given to the poor is laid up in heaven.

JOLI CHEMIN N'ALLONGE PAS, PRIÈRE NE RETARDE PAS, AUMÔNE N'APPAUVRIT PAS (*Auvergne*). **– Fr.** Donner l'aumône n'appauvrit personne. **– Qc** L'aumône n'appauvrit pas. **– Ang.** The charitable give out at the door and God puts in at the window.

BIENFAIT

UN BIENFAIT N'EST JAMAIS PERDU (*r. XVIe*). **– Fr.** Les petits cadeaux entretiennent l'amitié. **– Qc** Un cadeau en attire un autre. **– Ang.** Small gifts keep friendship alive ◆ Little gifts keep friendship warm.

CHEVAL DONNÉ

À CHEVAL DONNÉ, ON NE REGARDE PAS LA BRIDE [LA DENT, À LA BOUCHE]. *– En usage au Québec.* **– Fr.** Ne choisit pas qui emprunte ◆ A ein g'vau baillé, ein ne ravise poënt ch'licou (*Picardie*) ◆ Cheval donné ne doit-on en bouche garder (*vieilli*) ◆ À cheval donné ne regardés les dents (*XVe*) (*du latin:* Noli equi dentes inspicere donati) ◆ Cheval donné ne doit-on en dens regarder (*XIIIe*). **– Qc** À cheval donné [Cheval donné], on ne regarde pas la dent [on ne regarde pas la bride].

— Ang. Look not [Never look] a gift horse in the mouth ♦ Beggars must not [cannot] be choosers ♦ Don't [One should never] look a gift horse in the mouth (*É.-U.*).

DONNE

LA MAIN QUI DONNE EST AU-DESSUS DE CELLE QUI REÇOIT. — Qc On aime mieux donner que recevoir. **— Ang.** It is more blessed to give than to receive.

QUI DONNE VITE [QUI DONNE TÔT] DONNE DEUX FOIS. — *Du latin:* Bis dat qui cito dat *(Sénèque).* **— Fr.** Qui oblige promptement oblige doublement ♦ C'est obliger deux fois qu'obliger promptement (*du latin:* Inopi beneficium bis dat, qui dat celeriter *[Syrus]*) ♦ Qui veut faire l'aumône ne doit pas la faire attendre (*xive*) ♦ Qui tost donne deux fois donne (*xive*). **— Qc** Donner tout de suite, c'est donner deux fois. **— Ang.** He gives twice who gives quickly [that gives in a trice].

DONNER

IL VAUT MIEUX [IL Y A PLUS DE BONHEUR À] DONNER QUE [QU'À] RECEVOIR. — *D'après les* Actes des Apôtres, *20,35.* — **Fr.** Mieux vaut pomme [œuf] donné[e] que mangé[e] (*XIV*e). — **Qc** Ce qu'on laisse sur la table fait plus de bien que ce qu'on y prend. — **Ang.** It is more blessed to give than to receive.

PERLES

ON NE JETTE PAS DE PERLES À DES POURCEAUX. — *D'après* Matthieu: «*Il ne faut pas jeter des perles aux pourceaux*» — **Fr.** Obliger un ingrat, c'est perdre le bienfait ♦ Graissez les bottes d'un vilain, il dira qu'on les lui brûle (*XIX*e) ♦ Oignez vilain il vous poindra, poignez vilain, il vous oindra (*XIV*e) ♦ C'est folie de semer les roses aux pourceaux (*XV*e) ♦ C'est bien lessive perdue d'en laver la teste à ung âne (*XV*e). — **Qc** On ne donne pas [On ne peut pas donner] du caviar [à manger] à

des cochons. **— Ang.** Cast not [Don't cast (your)] pearls before swines ♦ To do good to an ungrateful man is to throw rose-water in the sea.

PROMISE

CHOSE PROMISE, CHOSE DUE. — Fr. Promettre peut on tenir (*XVIe*) ♦ Toute promesse doit estre tenue (*XIVe*) ♦ Promettre sans donner est fol reconforter (*XIVe*). **— Ang.** A promise is a promise [is a debt] ♦ Promise is debt.

REDEMANDER

CHOSE DONNÉE NE SE DOIT PAS REDEMANDER. — Fr. Donner et retenir ne vaut (*XVIIe*). **— Qc** Ce qui est donné est donné. **— Ang.** Give a thing and take again, and you shall ride in hell's wain.

RHUBARBE

PASSEZ-MOI LA RHUBARBE, JE VOUS PASSERAI LE SÉNÉ. — Fr. Donnant, donnant ♦ Gratte-moi l'épaule et je t'en ferai autant ♦ Passez-moi la casse, je vous passerai le séné ♦ Un âne gratte l'autre. **— Qc** Je te gratte le dos, tu me grattes le dos (*d'après l'anglais:* You scratch my back, I'll scratch yours). **— Ang.** Up the hill, favor me, down the hill, take care of thee [beware thee] ♦ You scratch my back, I'll scratch yours ♦ Claw me and II'l claw thee ♦ Roll my log and I'll roll yours ♦ You play ball with me and I'll play ball with you (*É.-U.*).

Durée / promptitude

ATTENDRE

**TOUT VIENT À POINT [À] QUI SAIT [À QUI PEUT] AT-
TENDRE** (*r. xvi*ᵉ). **– Qc** Tout arrive à point à qui sait
attendre. **– Ang.** Everything comes to him who waits.

COURTE PRIÈRE

COURTE PRIÈRE MONTE AU CIEL. – Fr. De deux chemins
[voies] on doit prendre le meilleur [la meilleure] (*xiv*ᵉ).
– Qc Les meilleurs chemins sont toujours les plus
courts. **– Ang.** Short prayers rise up to heaven ♦ Short
and sweet (*É.-U.*).

ÉCRITS

LES PAROLES S'ENVOLENT, LES ÉCRITS RESTENT. – *Du
latin*: Verba volant, scripta manent. **– Qc** Les paroles
s'envolent mais les écrits restent. **– Ang.** Words fly
away, writing remains.

FEMME FARDÉE

**CIEL [TEMPS] POMMELÉ, [ET] FEMME FARDÉE NE
SONT PAS DE [LONGUE] DURÉE. – Fr.** L'âge avance,
la beauté passe ♦ Femme fardée n'a pas de durée
(*Provence*) ♦ Beauté n'est qu'image fardée (*xiv*ᵉ). **– Qc**
Temps [Ciel] pommelé, fille fardée, sont de courte
durée. **– Ang.** Beauty is but skin deep.

FEU

IL FAUT FAIRE FEU QUI DURE. — Fr. Il n'est feu que de gros bois ♦ C'est un feu de paille (*loc. prov.*). — **Qc** Grand feu de paille n'a rien qui vaille. — **Ang.** A flash in the pan (*loc. prov.*).

GOUTTE À GOUTTE

GOUTTE À GOUTTE, L'EAU CREUSE LA PIERRE. — Fr. Au long aller la lime mange le fer (*xixe*). — **Qc** À force de taper sur le clou, on finit par l'enfoncer. — **Ang.** Constant dropping wears the stone ♦ Little strokes fell great oaks ♦ A mouse in time may bite in two a cable.

GRAIN À GRAIN

GRAIN À GRAIN LA POULE REMPLIT SON VENTRE. — Fr. Les petits ruisseaux font les grandes rivières. — **Qc** Avec [C'est avec] les cennes [les sous] (*cents*), on [qu'on] fait les piastres. — **Ang.** Little and often fills the purse ♦ Small winnings make a heavy purse ♦ Take care of the pence [of the pennies] and the pounds will take care of themselves ♦ Every little helps (*É.-U.*).

LENTEMENT

QUI VA LENTEMENT VA SÛREMENT. — *En usage au Québec.* — **Fr.** Lentement mais sûrement (*du latin:* Tarde sed tute) ♦ Qui va doucement va loin [longtemps] ♦ Qui trop se hâte en cheminant, en beau chemin se fourvoie souvent ♦ Tout ce qui doit durer est lent à croître (*xixe*). — **Ang.** Fair and slow go far in a day

◆ Slow and [but] sure ◆ Slow and steady wins the race
◆ Hair by hair you will pull the horse's tail ◆ Many a little
makes a mickle ◆ A wheen o'mickles (*little*) mak's a
muckle (*much*) (*Écosse*).

MÉTIER

**VINGT FOIS SUR LE MÉTIER, REMETTEZ VOTRE OU-
VRAGE.** – *Formule attribuée à Boileau,* L'art poétique,
d. XVIIᵉ. En usage au Québec.

NUIT

LA NUIT DONNE [PORTE] CONSEIL. *Du latin:* In nocte
consilium. **– Fr.** La nuit est mère de pensée ◆ Prends
conseil à l'oreiller ◆ L'oreiller porte conseil (*Auvergne*).
– Qc La nuit porte conseil. **– Ang.** Better to take
counsel of one's pillow ◆ Night is the mother of counsel.

PATIENCE

**LA [AVEC LE TEMPS ET LA, À FORCE DE] PATIENCE
[ON] VIENT À BOUT DE [ON ARRIVE À] TOUT.** –
Fr. Avec le temps et la paille, les nèfles mûrissent ◆
Patience et longueur de temps font plus que force ni
que rage (*La Fontaine,* Fables). **– Qc** Avec de la pa-
tience, on vient à bout de tout. **– Ang.** Patient men
win the day ◆ Time and perseverance drive snails to
Jerusalem ◆ Patience drives a snail to Jerusalem.

CELUI QUI PERSÉVÉRERA JUSQU'À LA FIN SERA SAUVÉ. – *D'après* Matthieu, *10,22.* – **Fr.** Qui dure [endure] vainc (*xv*ᵉ). – **Qc** Faut pas lâcher. – **Ang.** He that endureth to the end shall be saved (*vieilli*).

PETIT À PETIT L'OISEAU FAIT SON NID. – Fr. Goutte à goutte se creuse la pierre ♦ Mot à mot fait-on les gros livres ♦ Maille à maille se fait l'haubergeon ♦ Deux petitz font un grand (*vieilli*) ♦ Maille à maille est fait le haubergeon (*Rabelais, Le Tiers Livre, xvi*ᵉ, *d. xiv*ᵉ) ♦ Pas à pas le bœuf prend le lièvre (*xv*ᵉ) ♦ Coup après coup, gros chêne abat-on (*xv*ᵉ) ♦ Petit à petit va le monde (*xiv*ᵉ) ♦ Petit à petit on va bien loin (*xiii*ᵉ). C'est petit à petit qu'ont grossi les fesses de l'éléphant (*Guinée*). Sauterelle par sauterelle, on remplit sa calebasse (*Haute Volta*). Goutte à goutte, le vin de palme remplit le canari (*Dahomey*). – **Qc** P'tit train va son train [va loin]. – **Ang.** Many littles make a mickle ♦ Slow and steady wins the race ♦ A mouse in time may bite in two a cable ♦ Little strokes fell great oaks ♦ Step by step, the ladder is ascended ♦ Easy does it ♦ Little by little one goes a long way (*É.-U.*).

PREMIER ARRIVÉ, PREMIER SERVI. – Fr. Premier venu, premier moulu ♦ Les premiers [venus] sont les mieux servis ♦ Qui arrive le premier au moulin, le [qui premier vient] premier engrène ♦ Les premiers assis sont les premiers servis (*xve*). — **Ang.** First come, first served ♦ The ['Tis the] early bird [that] catches the worm [that gets the rations] ♦ He that comes first to the ha' may sit whar he will (*vieilli*).

PRESSE

PLUS ON SE PRESSE, MOINS ON AVANCE. — Fr. Qui trop se hâte en cheminant, en beau chemin se fourvoie souvent ♦ Trop presser nuit ♦ Jamais besogne faite avec impétuosité et empressement ne fut bien faite (Roman de Renart, *xiiie*). — **Qc** Il ne faut pas aller [danser] plus vite que le violon [le temps]. — **Ang.** Good and quickly seldom meet ♦ Haste makes waste [trips up its own heels] ♦ More haste, less speed.

ROME

ROME NE S'EST PAS FAITE EN UN JOUR. — *Du latin:* Roma non fuit una die condita. — **Fr.** Paris n'a pas été bâti [n'a pas été fait, ne s'est pas faite] en un jour (*r. xvie*) ♦ Grand bien ne vient pas en peu d'heures. — **Qc** On n'a pas bâti Paris en une journée. — **Ang.** Rome was not built in a day.

TOUT CE QUI TRAÎNE SE SALIT. — *En usage au Québec.* — **Fr.** Qui a cul à baiser ne doit pas tarder.

Erreur / pardon

ERREUR N'EST PAS COMPTE. — *En usage au Québec.* — **Ang.** Wrong count is no payment ♦ Misreconing is no payment.

L'ERREUR EST HUMAINE. — *Du latin:* Errare humanum est. — *En usage au Québec.* — **Fr.** Se tromper est humain, persister dans son erreur est diabolique ♦ Il n'est si bon cheval qui ne bronche ♦ Ce n'est pas pour un mauvais pas qu'on tue un bœuf (*Savoie*) ♦ Il n'est si bon charretier qui ne verse. — **Ang.** To fall into sin is human, to remain in sin is devilish ♦ 'Tis a good horse that never stumbles ♦ A horse stumbles that has four legs (Écosse).

FAUTE AVOUÉE

FAUTE AVOUÉE EST À MOITIÉ PARDONNÉE. — *En usage au Québec.* — **Fr.** Péché confessé [Péché avoué] est à moitié pardonné (*r. xviiie*) ♦ Qui se repent est presque innocent (*du latin:* Quem pœnitet peccasse, pæne est innocens [*Sénèque*]). — **Qc** Défaut reconnu est à moitié pardonné. — **Ang.** A fault confessed is half redressed.

C'EST EN FAISANT DES FAUTES QU'ON APPREND. – Qc
On apprend par [On apprend de] nos erreurs. **– Ang.**
Mistakes are often the best teachers.

FOIS

UNE FOIS N'EST PAS COUTUME. – *Du latin:* Non una
hirundo facit ver. *En usage au Québec.* **– Qc** Une fois,
c'est une erreur, deux fois, c'est une mauvaise habitude. **– Ang.** To fall into sin is human, to remain in sin
is devilish ◆ Once isn't always ◆ Once in a way won't
hurt.

Être / paraître

CHIEN QUI ABOIE NE MORD PAS. — Fr. Tel menace qui tremble [qui craint] ◆ Chien qui jappe ne mord pas (*xvi*) ◆ Le couart chien tousjours abaye (*xv*). **— Qc** Tout chien qui aboie ne mord pas. **— Ang.** Barking dogs seldom bite ◆ Great barkers are not great biters ◆ A barking dog never bites (*É.-U.*).

AIR

L'AIR NE FAIT PAS LA CHANSON. — Fr. Ne sont pas tous chasseurs qui sonnent du cor. **— Qc** L'air, c'est pas toute la chanson. **— Ang.** All are not hunters that blow the horn.

IL NE FAUT PAS SE FIER AUX APPARENCES. – Fr. Les apparences sont trompeuses (*du latin:* Fallitur visus) ◆ Sous la crasse, la beauté s'y cache. **– Qc** Si les roses ont des épines, sous les épines se cachent les roses ◆ Petite enseigne [Petite annonce], gros magasin. **– Ang.** Appearances are deceptive ◆ Never judge from appearances.

AUNE

ON NE MESURE PAS LES HOMMES [L'HOMME NE SE MESURE PAS] À L'AUNE [*ancienne mesure équivalent à 1,18 et 1,20 m*]. **– Qc** On ne mesure pas un homme à la brasse. **– Ang.** Inches don't make a man ◆ Men are not to be measured by inches.

BEAUTÉ DE FEMME

BEAUTÉ DE FEMME N'ENRICHIT L'HOMME. – Qc La beauté n'apporte pas à dîner... [la laideur n'apporte pas à souper]. **– Ang.** Beauty buys no beef.

LA BELLE PLUME FAIT LE BEL OISEAU. – Fr. Beau plumage fait bel oiseau ♦ L'habit ne fait pas le moine, mais la belle plume fait le bel oiseau (*Poitou*) ♦ Les belles plumes font les beaux oiseaux (*XVI*e) ♦ Juge l'oiseau à la plume et au chant, et au parler l'homme bon ou méchant (*XVI*e) ♦ On congnoist l'œuf à la coque (*XV*e) ♦ Aux plumes cognoit-on l'oiseau (*XV*e) ♦ On juge par les apparences (*XIV*e). **– Qc** Le [C'est le, C'est le beau] plumage qui fait l'[le bel]oiseau.

TOUT CE QUI BRILLE [LUIT, RELUIT] N'EST PAS OR. – *Du latin:* Non omne est aurum quod splendet. **– Fr.** Tout ce qui reluit n'est pas or (*La Fontaine*, Fables, d. *XIV*e) ♦ N'est pas tot or ice qui luist, et tiex ne puet aidier qui nuist (Le Roman de Renart, *XIII*e). **– Qc** Tout ce qui reluit n'est pas d'or ♦ Tout ce qui brille n'est pas rose. **– Ang.** All is not gold that glitters [All that glitters is not gold] ♦ Beauty is only skin deep.

NE JUGEZ PAS UN ARBRE SUR L'ÉCORCE. – Fr. L'habit ne fait pas [Ce n'est pas l'habit qui fait] le moine ♦ La robe ne fait pas le médecin. **– Qc** On ne juge pas l'arbre à son écorce. **– Ang.** Don't judge a book by its cover ♦ The cowl doesn't make the monk ♦ Fine feathers do not make fine birds ♦ The gown doesn't make the friar ♦ It is not the gay coat that makes the gentleman.

GRAND NEZ

JAMAIS GRAND NEZ NE DÉPARA JOLI [BEAU] VISAGE.
— **Fr.** Un grand nez n'a jamais gâté une laide figure
(*Languedoc*) ♦ Jamais un grand nez n'a déparé un
visage (*Anjou, Bretagne*) ♦ Un grand nez ne gâte jamais beau visage (*xviii*). — **Qc** Un gros nez ne dépare
jamais un beau visage ♦ Un nez long ne défait pas une
belle figure. — **Ang.** A big nose [A long nose] never
spoiled a handsome face.

HABIT

L'HABIT FAIT L'HOMME. — *Du latin:* Vestis virum reddit. —
Fr. L'habit ne fait pas le moine, mais le répare (*Auvergne*) ♦ La belle plume fait le bel oiseau ♦ À la plume
et au chant l'oiseau, et au parler le bon cerveau ♦ À
latrongne cognoist on l'yvrongne (*vieilli*) ♦ Juge l'oiseau
à la plume et au chant, et au parler l'homme bon ou
méchant (*xvi*) ♦ La robbe fait l'homme (*xvi*) ♦ On juge
par les apparences (*xiv*) ♦ Par les apparences aprent-
on les choses à venir (*xiv*) ♦ — **Qc** C'est le vêtement
qui fait l'homme ♦ Sauvez les apparences et vous sauvez tout. — **Ang.** The garment makes the man ♦ Fine
feathers [Fair feathers] make fine birds [make fair fowls].

L'HABIT NE FAIT PAS LE MOINE [LE RELIGIEUX] [CE N'EST PAS L'HABIT QUI FAIT LE MOINE]. — *Du latin:* Cucullus non facit monachum. **— Fr.** Il ne faut pas juger le sac à l'étiquette ♦ La barbe ne fait pas l'homme ♦ Ce n'est pas la plume qui fait le bel oiseau (*Poitou*) ♦ Porter le chapeau ne fait pas le monsieur (*Gascogne*) ♦ L'habit ne fait pas l'homme et la barbe ne fait pas le philosophe (*pays niçois*) ♦ L'habit ne fait pas l'ermite (*cité dans* Frère Denise, cordelier *de Rutebeuf*) ♦ L'air ne fait pas la chanson ♦ La robe ne fait pas le médecin ♦ On ne connaît pas le vin au cercle (*xvi*) ♦ L'abit ne fait pas le moyne (*xiv*). **— Qc** Ce n'est pas l'habit qui fait [l'habit (ne) fait pas] le moine ♦ Ce n'est pas le plumage qui fait l'oiseau [le bel oiseau] ♦ On ne juge pas l'oiseau à son habit [à son plumage] ♦ On ne juge pas un crapaud à le voir sauter [à sa peau]. **— Ang.** The cowl doesn't make [It is not the cowl that makes] the monk ♦ Fine feathers do not make fine birds ♦ The gown doesn't make the friar ♦ Fine clothes do not make the gentleman ♦ Clothes do not make the man ♦ It is not the gay coat that makes the gentleman ♦ All are not hunters that blow the horn ♦ You can't judge a book by it's cover.

HOCHE

TOUT CE QUI HOCHE NE KET POINT (*Picardie*). **— Fr.** Tous ceulx ne sont pas clercs qui en portent le semblant (*xiv*). **— Qc** Tout ce qui pète n'est pas cul. **— Ang.** All that sizzles may not be meat.

MONTAGNE

LA MONTAGNE A ACCOUCHÉ D'UNE SOURIS. – Fr. Les grands bœufs ne font pas les grands labours. **– Qc** Chie le bœuf, il y a de la paille. **– Ang.** The mountain has brought forth a mouse.

POLI

SOIS POLI SI TU N'ES PAS JOLI... – *En usage au Québec.* **– Fr.** La politesse ne coûte rien ♦ Si tu n'es pas joli, sois gracieux (*Gascogne*). **– Ang.** Politeness costs nothing.

RENOMMÉE

BONNE RENOMMÉE VAUT MIEUX QUE CEINTURE DORÉE. – *En usage au Québec.* **– Fr.** Mieux vaut bonne renommée que grandes richesses (*d'après le latin:* Melius est nomen bonum quam divitiæ multæ) ♦ Mieux vaut souffrete et bons renons que signourie et povres nons (*xive*) ♦ Mieux vaut bon nom [bon los] que richesse [qu'or] (*xive*). **– Ang.** A good name [A fair name] is better than gold [riches, a golden girdle, a good girdle] ♦ A good fame is better than a good face.

Facilité / difficulté

CHEMIN

JOLI CHEMIN N'ALLONGE PAS, PRIÈRE NE RETARDE PAS, AUMÔNE N'APPAUVRIT PAS (*Auvergne*). **—** **Qc** Beau chemin ne rallonge pas.

FÊTE

IL N'EST PAS TOUJOURS [CE N'EST PAS TOUS LES JOURS] FÊTE. — En usage au Québec. **— Fr.** Tous les jours ne sont pas noces ♦ Toujours ne sont pas nopces (*XVIe*). **— Qc** Ce n'est pas tous les jours dimanche ♦ Tous [les] jours ne sont pas noces. **— Ang.** Christmas comes but once a year ♦ It's a long lane that has no turning.

FLÛTE

CE QUI VIENT DE [DE LA, PAR LA] FLÛTE S'EN RE-TOURNE AU [PAR LE] TAMBOUR [TAMBOURIN]. — **Fr.** Ce que le gantelet gagne, le gorgeron le mange ♦ Ce qui vient de fric s'en va de frac ♦ Ce qui vient du flot s'en retourne d'Sbe (*Normandie*) ♦ Ch'qui vient d'riv' [rif] s'ein vo d'rav' [raf] (*Picardie [Berck]*). **— Qc**

Qui vient de flot s'en va de marée. — **Ang.** Light [Lightly] come, light [lightly] go ♦ Easy come, easy go (*É.-U.*).

PEINE

CHEVAL FAISANT, LA PEINE NE MANGE PAS L'AVEINE.
— **Qc** Il y a beaucoup de passages, pas grand salle à dîner [*salle à manger*]. — **Ang.** Poverty is a hateful good.

NUL BIEN [ON N'A RIEN] SANS PEINE. — *Du latin:* Sine labore non erit panis in ore. — **Fr.** Nul pain sans peine ♦ Rien sans peine, pas même caca (*Bretagne*) ♦ Nul plaisir sans peine (*xixe*). — **Qc** Il n'y a pas de plaisir [On n'a rien] sans peine. — **Ang.** No [Without] pains, no gains ♦ He who would eat the nut must first crack the shell ♦ No reward without toil.

VIE

LA VIE N'EST PAS TOUT ROSE. — Fr. Tout n'est pas rose dans la vie. — **Qc** La vie a de bons moments mais elle en a de [des] sacrements ♦ La vie, c'est [comme] une beurrée de marde, plus ça va moins il y a de pain ♦ C'est pas drôle la vie d'artiste... [(surtout) quand on n'est pas acteur (vedette)]. — **Ang.** Life is not a bed of roses ♦ Life is not all honey [all beer and skittles].

Force / faiblesse

BATTUS

LES BATTUS PAIENT [PAYENT] L'AMENDE. — Fr. Les malheureux ont toujours tort ♦ Malheur aux vaincus ♦ Qui perd pêche. **— Qc** Le perdant a [Les perdants ont] toujours tort. **— Ang.** Losers are always in the wrong ♦ Woe to the vanquished.

BELLES PAROLES

LES BELLES PAROLES ONT BIEN DE FORCE ET COÛTENT PEU. — Qc Les plus belles choses ne coûtent rien. **— Ang.** Lip-honour costs little yet may bring in much.

COUPS DE BÂTON

ON NE FAIT PAS ALLER LES CHIENS À LA CHASSE À COUPS DE BÂTON. — Fr. La sagesse vaut mieux que la force ♦ Mieux vaut engin que force (*xvie*). **— Qc** On ne mène pas un chien de force à la chasse. **— Ang.** Wisdom goes beyond strength.

DIEU

QUAND DIEU NE VEUT, LE SAINT NE PEUT. – Fr. Quant Dieu ne veult, se sains ne peuent (*ancien*). **– Qc** Le pouvoir est moins fort que le vouloir. **– Ang.** When it pleases not God, the saint can do little.

FORCE

CONTRE LA FORCE, POINT DE RÉSISTANCE. – Fr. La force prime le droit ♦ Force passe droit (*XVIᵉ*). **– Qc** Contre la force, pas de résistance. **– Ang.** Might is right ♦ It is madness to kick against the pricks ♦ Might makes right (*É.-U.*).

FORCE FORCÉE, DE PETITE DURÉE. – Fr. On ne fait pas aller les chiens à la chasse à coups de bâton ♦ Mieux vaut subtilité que force. **– Qc** Faut pas envoyer un chien à la chasse malgré lui [à coups de bâton]. **– Ang.** You can kill a chicken but you cannot force him to lay an egg.

FORT

LA RAISON DU PLUS FORT EST TOUJOURS LA MEILLEURE – (*La Fontaine*, Fables). **– Fr.** La force prime le droit. **– Qc** Le plus fort aura toujours le meilleur. **– Ang.** Might is [Might overcomes] right.

GROS POISSONS

LES GROS POISSONS MANGENT LES PETITS. – Qc Le plus gros mange l'autre. **– Ang.** The great fish eat up the small.

MOT

QUI NE DIT MOT CONSENT. – *Du latin:* Qui tacet, consentire videtur. **– Qc** Celui qui ne dit mot consent. **– Ang.** Silence gives [is] consent [implies assent].

PETIT

ON A SOUVENT BESOIN D'UN PLUS PETIT QUE SOI. – *Cité dans La Fontaine,* Fables. *En usage au Québec.*

PLIER

MIEUX VAUT PLIER [MIEUX VAUT TENDRE, IL VAUT MIEUX PLIER] QUE ROMPRE. – Fr. Mieux vaut ployer que rompre (*La Fontaine,* Fables, *xvie*). **– Qc** Tout ce qui craque ne casse pas. **– Ang.** Better bend then break.

Fortune / infortune

AUDACIEUX

LA FORTUNE FAVORISE LES AUDACIEUX. — *Du latin:* Audaces fortuna juvat. — **Fr.** Fortune aide le hardi, communément on dit (*vieilli*) ◆ La fortune aide aux audacieux (*XVIIIᵉ*). — **Qc** La chance sourit aux audacieux. — **Ang.** Fortune helps those who help themselves.

ÉCU

IL VAUT MIEUX ÉCU QU'IL NE VALAIT MAILLE (*vieilli*). — **Fr.** Qui ne peut à un moulin hez à l'autre (*XVᵉ*). — **Qc** Je m'appelle Jos Meilleur, quand ça ne fait pas ici [icitte], ça fait ailleurs! — **Ang.** Fortune favours the brave.

FORTUNE

QUAND LA FORTUNE RIT À LA PORTE, IL FAUT LUI OUVRIR [SANS ATTENDRE]. — **Fr.** Il faut saisir l'occasion aux cheveux ◆ Il faut puiser quand [tant que] la corde est au puits ◆ Quand le bien vient, on le doit prendre (*XVIᵉ*) ◆ Quand l'acquêt vient, il le fault prendre (*XVᵉ*). — **Qc** Manne qui passe, on la ramasse [ne revient pas]. — **Ang.** Take occasion [Take time] by the forelock ◆ When the mutton's going, it is good to take a slice ◆ You can get only one shot at a shell bird (*Terre-Neuve, Canada*).

GASPILLEUR

DE GASPILLEUR JAMAIS BON AMASSEUR. – Qc Qui casse ses œufs les perd. **– Ang.** Waste makes want.

MAINS VIDES

DE MAINS VIDES, PRIÈRES VAINES (*r. XVIe*). **– Fr.** Au gueux la besace (*r. XIXe*). **– Qc** Il n'y a pas de quêteux de riche.

MISÈRE

TOUJOURS, LA MISÈRE TOMBE SUR LES PAUVRES. – Qc La misère, c'est pas fait pour les (p'tits) chiens.

MOI

AUJOURD'HUI À MOI, DEMAIN À TOI. – Fr. Assiette au beurre (*loc. prov.*) ◆ Hier vachier, huy chevalier (*vieilli*). **– Qc** C'est pas toujours au même l'assiette au beurre. **– Ang.** I today, you tomorrow ◆ Today me, tomorrow thee ◆ Every dog has his day (*É.-U.*).

MONTURE

QUI VEUT VOYAGER LOIN MÉNAGE SA MONTURE. — *Cité par Racine, Les plaideurs.* — **Qc** Qui veut aller loin ménage sa monture. — **Ang.** Fair[e] and softly [soft] goes far in a day.

ŒUF

MIEUX VAUT EN PAIX UN ŒUF QU'EN GUERRE UN BŒUF. — **Fr.** Mieux vaut un morceau de pain sec avec la paix qu'une maison pleine de viande avec des querelles (*xive*) ♦ Mieux vaut mourir à honneur que vivre à honte (*xive*). — **Qc** Mieux vaut manger un pain debout qu'un steak à genoux. — **Ang.** Better an egg in peace than an ox in war.

OR

OÙ L'OR PARLE, TOUTE LANGUE SE TAIT. — **Fr.** Amour peut moult, argent peut tout (*xviie*) ♦ Argent fait perdre et prendre gens (*xvie*). — **Qc** Quand on contrôle l'argent, on contrôle les hommes. — **Ang.** Money [A golden key] opens all doors [opens every door] ♦ Money makes the mare go ♦ Where gold speaks, every tongue is silent ♦ Every man has his price ♦ Money talks ♦ Wealth makes worship (*É.-U.*).

À DÉFAUT DE CHAPON, PAIN ET OIGNON. — Fr. Faute de grives, on mange des merles ♦ Faute de bœuf, on laboure avec son âne (*Auvergne*) ♦ Si tu te trouves sans chapon, contente-toi de pain et d'oignon (*Anjou*) ♦ Quand qu'ein n'a pau d'ail, i feut deusser [*frotter son pain*] d'ognon [*oignon*] (*Picardie*) ♦ Faute de pain blanc fait quelquefois manger le brun (*XIVe*). **— Qc** Faute de pain, on mange [de] la galette. **— Ang.** A man must plough with such oxen as he hath ♦ Half a loaf is better than none at all ♦ Better some of the pudding than none of a pie ♦ If I cannot catch geese, I'll catch gaislings ♦ Better a bit in the morning than a fast day ♦ Better a clout in than a hole out. Better a mouse in the pot than no flesh ♦ If thou hast not a capon, feed on an onion (*vieilli*) ♦ Bannocks are better than no bread ♦ He who cannot get bacon must be content with cabbage ♦ Better a lean horse than a toom halter (*Écosse*).

JE SUIS DU PARTI DE CELUI QUI ME FAIT VIVRE. — Fr. On est nourri là où on mange (*Artois*). **— Qc** On sait de quel côté notre pain est beurré. **— Ang.** Don't forget which side your bread is buttered ♦ He is my friend that grindeth at my mill.

LA MAIN DU PAUVRE EST LA BOURSE DE DIEU. — Fr.
Qui donne au pauvre prête à Dieu. **— Qc** Les pauvres
sont les amis de Dieu. **— Ang.** He that has pity on the
poor lends to the Lord ♦ He who lendeth to the poor
gets his interest from God ♦ The charitable give out at
the door and God puts in at the window.

QUI DONNE AU PAUVRE PRÊTE À DIEU. — *Du latin:*
Fœneratur Domino qui miseretur pauperis. *De* Proverbes, *19,17. En usage au Québec.* **— Fr.** La main du
pauvre est la bourse de Dieu. **— Qc** Ce qu'on fait au
pauvre, on le fait au bon Dieu ♦ Qui donne à l'église
donne à Dieu. **— Ang.** Whatever is given to the poor
is laid up in heaven.

**PARTOUT, LES PAUVRES ET LES MALHEUREUX ONT À
SOUFFRIR. — Fr.** À pauvres gens, la pâte gèle au four
♦ Le vent ne souffle pas toujours dans la porte d'un
pauvre homme *(Basse-Normandie)* ♦ Chés poves
poysans et pis le queue de nos kiens, ils iront tejours
par drière *(Picardie)* ♦ Au gueux la besace *(r. xixe)* ♦ De
mains vides, prières vaines *(xvie)*. **— Qc** Les pauvres
gens ont toujours vent devant. **— Ang.** To what place
can the ox go, where he must not plough?

PAUVRES GENS NE SONT PAS RICHES. — Fr. Toujours la misère tombe sur les pauvres ♦ La richesse du pauvre, un peu de rosée au soleil (*Provence*). **— Qc** Celui qui [Quand on] est né pour un petit pain [p'tit pain]... [c'est pas pour un gros, Celui qui est né pour un petit pain n'en aura jamais un gros].

PAUVRETÉ N'EST PAS VICE (*r. xvii*ᵉ). — *Du latin:* Paupertas non est vitium. **— Fr.** Pauvreté ou vieillesse n'est pas vice (*Gascogne*). **— Qc** Ce n'est pas un vice d'être pauvre ♦ La pauvreté, c'est pas un déshonneur mais c'est malcommode. **— Ang.** Poverty is no crime [is no sin].

FORCE PEINE ET PEU DE GRAIN METTENT L'HOMME EN MAUVAIS TRAIN. — Fr. De pauvreté, fatigue et peine. **— Qc** La peine emporte le profit [le plaisir].

MIEUX VAUT PEU QUE RIEN. — Qc Vaut mieux un peu que rien du tout. **— Ang.** Better aught than naught ♦ Better small fish than empty dish ♦ Better a small fish than an empty dish (*Nouvelle-Écosse, Canada*).

POIRE

IL FAUT GARDER UNE POIRE POUR LA SOIF (*r. xvIIIᵉ*). —
Fr. Il faut garder une pomme pour la soif (*Alsace*). —
Qc Il faut se garder une poire pour la soif. — **Ang.** Lay
[something] by for a rainy day ♦ Keep something for a
sair fit (*Écosse*).

TEMPS

LE TEMPS, C'EST DE L'ARGENT. — En usage au Québec.
— **Ang.** Time is money (*cité par Benjamin Franklin,
É.-U.*).

TOUR

À CHACUN SON TOUR. — Fr. La roue tourne. — **Qc** À
chacun son heure. — **Ang.** Every dog has his day.

VENTRE AFFAMÉ N'A PAS D'OREILLES. — *Cité par La Fontaine «Le milan et le rossignol», Fables, XVIIᵉ. Du latin:* Venter aures non habet. *Caton le Censeur dans un discours au peuple romain dit précisément:* «Jejunus venter non audit verba libenter», *(ventre à jeun n'écoute guère les discours).* — **Qc** Ventre vide [Ventre affamé] n'a pas d'oreilles [n'a pas d'oreille]. — **Ang.** An empty belly hears nobody [has no ears] ♦ Hungry bellies have no ears ♦ A hungry man is an angry man ♦ No man can be wise on an empty stomach ♦ Necessity knows no law.

VILAIN ENRICHI NE CONNAÎT NI PARENT NI AMI. — **Fr.** Qui d'un serf fait seigneur, il a mauvais loyer (*XIVᵉ*). — **Qc** Les quêteux montés à cheval oublient le balai. — **Ang.** When a knave is in a plum-tree, he hath neither friend nor kin.

Honnêteté / malhonnêteté

BIEN

BIEN MAL ACQUIS NE PROFITE JAMAIS. — Fr. Qui bien acquiert possède longuement (*xixe*) ◆ Un troisième héritier ne jouit pas des biens mal acquis (*du latin:* De male quœsitis non gaudet tertius hœres) ◆ D'injuste gain juste daim (*xvie*) ◆ La richesse qui est mal acquise n'est pas bonne (*xive*) ◆ Jamais mal acquêt [Bien mal acquis] ne prouffite (*xive*) ◆ Qui mal acquiert tres mal define (*xive*) ◆ Mal acquis, mal departira (*xiv^e*) ◆ L'avoir mal acquest, [Les biens venuz de mal acquest] est [sont] tost perdu[s] (xive). **— Qc** Le bien d'autrui mal acquis n'enrichit pas. **— Ang.** Ill-gotten goods seldom prosper.

FARINE DE DIABLE

FARINE DE DIABLE SE TOURNE EN BRAN. — Fr. La farine du diable n'est que bran ◆ De diable vient, à diable ira ◆ Ce qui vient du diable retourne au diable ◆ Le bien vol, n'a jamais prospéré (*Dauphiné*) ◆ De diable vint, a diable ira (*xive*). **— Qc** Farine [La farine] de [du, L'argent du] diable [ça] [re]tourne [vire] en son. **— Ang.** One unjust penny eats ten (*Nouvelle-Écosse, Canada*).

AU PLUS LARRON LA BOURSE (*r. XVIIIe*). — **Fr.** La force prime le droit. — **Qc** Au plus fort la poche. — **Ang.** Might is [Might overcomes] right.

IL EST BIEN LARRON QUI UN LARRON DÉROBE. — *Du latin:* Difficillimum esse furari apud fures. — **Fr.** Bien est larron qui laron emble (*vieilli*). — **Qc** Un voleur qui [Quand un voleur] en vole un autre [qui est volé, qui vole un autre voleur, Voler un voleur] le diable en rit. — **Ang.** He is a thief indeed that robs a thief.

L'OCCASION FAIT LE LARRON (*r. XVIIIe*). — *Du latin:* Occasio facit furem. — **Fr.** Un coffre ouvert fait pécher le juste même (*vieilli*) ♦ Aise [Bel embler, Occasion] fait le larron (*XVe*). — **Qc** C'est l'occasion qui fait le larron. — **Ang.** A bad padlock invites a picklock ♦ An open door may tempt a saint ♦ Opportunity makes the saint [the thief] ♦ A fair booty makes many a thief.

QUI VOLE UN ŒUF VOLE UN BŒUF. — **Fr.** Larronneau premier d'aiguillettes, avec le temps de la boursette (*vieilli*). — **Qc** Ça commence par un œuf, ça finit par un bœuf ♦ Ça commence par un baiser, ça finit par un bébé. — **Ang.** He that will steal an egg will steal a chicken [an ox, a pound] ♦ First a turnip, then a sheep, next a cow and then the gallows ♦ He that will steal a pin will steal a [an] ox [a chicken, a pound].

LE PAPIER SOUFFRE TOUT. — Fr. On fait dire au papier tout ce qu'on veut ♦ Le papier ne refuse pas l'encre (*Basse-Normandie*). **— Qc** L'oiseau, pour voler, ça lui prend toutes ses plumes mais toi, ça [*ne*] t'en prend rien qu'une. **— Ang.** Paper puts up with everything.

IL NE FAUT PAS ÊTRE PLUS ROYALISTE QUE LE ROI. — Qc Il ne faut pas être plus catholique que le pape. **— Ang.** Folk's dogs bark worse than themselves.

Inné / acquis

BERCEAU

CE QU'ON APPREND AU BERCEAU DURE JUSQU'AU TOMBEAU. — Fr. Ce qu'on apprend au berceau demeure plus qu'on ne le veut (*Gascogne*) ◆ Ce qu'on apprend au ber dure jusqu'au ver (*le* Littré *et région de l'Anjou*). **— Qc** Ce qui s'apprend au ber ne s'oublie qu'au ver. **— Ang.** Whose learneth young forgets not when he is old.

BOIT

CELUI QUI BOIT BOIRA, CELUI QUI EST SOT LE SERA (*Bretagne*). **— Fr.** Qui a bu boira, qui a joué jouera, qui a aimé aimera (*Gascogne*) ◆ Qui a bu boira ◆ Qui a bu boira jusqu'à la lie (*Provence*) ◆ [Peut-on désinfecter le bois pourri?] En sa peau mourra le renard (*xviii*ᵉ). **— Qc** Qui a bu boira... [dans sa peau mourra le crapaud, le crapotte]. **— Ang.** Once a thief, always a thief ◆ Once a gambler, always a gambler ◆ Cut a dog's tail and he will be a dog still.

BON CHIEN

JAMAIS BON CHIEN N'ABOIE À FAUX. — Qc Un bon [Tout] chasseur sachant chasser doit savoir [peut] chasser sans son chien. **— Ang.** When the old dog barks, he giveth counsel.

BU

QUI A BU BOIRA. — **Qc** Qui a menti mentira. — **Ang.** Once a thief, always a thief.

HABITUDE

L'HABITUDE EST UNE SECONDE NATURE. — *Du latin:* In naturam consuetudo *(Cicéron).* — **Fr.** Coutume dure vaut nature *(xvie).* — **Qc** Il est si vrai qu'à tout on s'habitue que celui qui change ses habitudes se tue. — **Ang.** Habit is second nature ◆ Custom is a second nature ◆ Use is a second nature ◆ Custom in infancy becomes nature in old age.

HARENG

LA CAQUE SENT TOUJOURS LE HARENG. — *Du latin:* Sapiunt vasa, quicquid primum acceperunt. — **Qc** La poche sent toujours le hareng. — **Ang.** The cask savours of the first fill ◆ Every tub smells of the wine it holds.

LIT

COMME ON FAIT SON LIT, ON SE COUCHE. — **Fr.** Qui mal fait son lit mal couche et gist *(xvie)* ◆ Comme on faict son lit, on le trouve *(xve).* — **Qc** On se couche comme on fait son lit [Tel on fait son lit, tel on se couche] ◆ L'arbre tombe toujours du côté où il penche. — **Ang.** As you make your bed, so you must lie on it [so you must lie] ◆ As you bake, so shall you brew ◆ As you brew, so you drink ◆ Hot soup, hot swallow.

C'EST LE NATUREAU DE LA BÊTE, ELLE LÈVE LA QUEUE POUR PISSER. – Fr. Le loup mourra dans sa peau ♦ La brebis bêle toujours de même ♦ Qui bien veut mourir, bien vive (*xv*ᵉ) ♦ De bonne vie, bonne fin (*xiv*ᵉ) ♦ De mauvaise [male] vie mauvaise [male] fin (*xiv*ᵉ) ♦ Male vie attrait male fin (*xiv*ᵉ). **– Qc** On meurt comme on a vécu [un doigt dans l'œil (dans l'oreille) et l'autre dans le cul]. **– Ang.** What is bred in the bone will not out of the flesh.

CHASSEZ LE NATUREL, IL REVIENT AU GALOP. – *Du latin:* Quod natura dedit, tollere nemo potest. – *En usage au Québec.* **– Fr.** Le renard change de poil mais non de naturel ♦ Le renard change de peau, mais pas de naturel (*Auvergne*) ♦ Chassez le naturel avec une fourche, il reviendra toujours en courant (*d'après Destouches,* Le glorieux, *xviii*ᵉ, *lui-même inspiré par le latin d'Horace,* Épitres: *«Expellas naturam furca, tamen usque recurret»*). **– Ang.** A leopard can't change his spots.

LES LOUPS PEUVENT PERDRE LEURS DENTS MAIS NON LEUR NATUREL. – *Du latin:* Lupus pilum mutat, non mentem. **– Qc** La beauté s'en va mais la bête reste. **– Ang.** The wolf may lose his teeth but never his nature.

LE LOUP MOURRA DANS SA PEAU. — Fr. Toujours fume le mauvais tison ◆ En la peau où le loup est, il y meurt (*XVIe*) ◆ Le loup mourra en sa peau qui ne l'escorchera vif (*XVIe*) ◆ On ne peut le vilain brisier sa nature (*XIVe*). **— Qc** Dans la [sa] peau mourra [meurt] le crapaud [crapote, renard]. **— Ang.** What's bred in the bone won't [come] out of the flesh ◆ Can the leopard change his spots? You can't make a silk purse from a sow's ear ◆ You cannot make a horn of a pig's tail (*É.-U.*).

POULE

QUI NAÎT DE POULE AIME À GRATTER. — Qc Quand on est né couillon, on couillonne. **— Ang.** Wood that grows crooked will hardly be straightened.

VIE

TELLE VIE [DE TELLE VIE], TELLE FIN (*r. XIVe*). *— Du latin:* Qualis vita, finis ita. **— Fr.** Quand tu es né rond, tu ne meurs pas pointu (*Martinique*). **— Qc** Telle vie, telle mort [telle fin]. **— Ang.** As we live, so shall we end ◆ Such a life, such a death ◆ He that lives a knave will hardly die an honest man.

Innocence / culpabilité

GALEUX

QUI SE SENT GALEUX SE GRATTE (*r. xviie*). — **Fr.** Qui se
sent morveux se mouche ♦ À bon entendeur, salut! ♦
Qui se sent crotté, si se frotte (*xve*). — **Qc** Que celui à
qui le bonnet fait le mette ♦ Si le chapeau te fait, mets-
le. — **Ang.** If the cap fits you, wear it ♦ If the shoe fits,
wear it (*Nouvelle-Écosse, Canada, et É.-U.*).

POULE

C'EST LA POULE QUI CHANTE QUI A FAIT L'ŒUF (*Bourbonnais*). — **Qc** Celui qui le dit, c'est lui [c'est celui] qui
l'est.

ROUE

LA PLUS MÉCHANTE ROUE CRIE LE PLUS FORT. — Fr.
C'est la poule qui chante qui a fait l'œuf (*Bourbonnais*)
♦ La plus mauvaise roue d'un chariot [C'est la plus
mauvaise roue du chariot qui] fait [toujours] le plus de
bruit (*du latin:* Semper deterior vehiculi rota perstrepit).
— **Qc** [C'est, C'est toujours] la [première] poule qui
chante [qui cacasse] [La (première) poule qui chante
est celle] qui pond [qui a pondu, qui pond l'œuf]. —
Ang. The worst wheel of a cart creaks most.

AUTANT PÊCHE CELUI QUI TIENT LE SAC QUE CELUI QUI MET DEDANS. — Fr. Tant vaut celui qui tient que celui qui écorche ◆ Le receleur ne vaut pas mieux que le voleur ◆ Autant vault qui pied tient comme qui l'écorche (*XIV*ᵉ). **— Qc** Celui qui tient la poche [le sac] est aussi pire [est aussi coupable] que celui qui met dedans [qui vole][est aussi responsable que celui qui met les poulets dedans]. **— Ang.** He sins as much who holds the bag as he who puts into it.

Jeunesse / vieillesse

ÂGE

L'ÂGE N'EST FAIT QUE POUR LES CHEVAUX. — Qc C'est pas parce qu'il y a [Quand il y a] de la neige sur la couverture [ça (ne) veut pas dire] qu'il n'y a plus de feu dans le poêle. **— Ang.** The sun is still beautiful, though ready to set ♦ There's snow on the roof but there's fire in the fireplace (É.-U.).

ON APPREND À TOUT ÂGE. — Fr. On n'est jamais trop vieux pour apprendre. **— Ang.** Never too old [It's never too late] to learn.

EXPÉRIENCE

EXPÉRIENCE EST MÈRE DE SCIENCE. — Qc Pour apprendre à lire, il faut aller à l'école. **— Ang.** Experience is the mother of knowledge.

HOMME ÂGÉ

EN CONSEIL ÉCOUTE L'HOMME ÂGÉ. — Fr. En conseil écoute le vieil (*vieilli*). **— Qc** Faut pas chier sur le clocher. **— Ang.** If you wish good advice, consult an old man.

JEUNE

QUI JEUNE N'APPREND, VIEUX NE SAURA. – Fr. Ce qui s'apprend au maillot, on s'en souvient jusqu'à la tombe (*Auvergne*). **– Qc** Tel que t'es dompté, tel que tu [y] restes. **– Ang.** As you are trained, so you stay ♦ As the twig is bent, so it grows.

JEUNESSE

FAUT [IL FAUT BIEN] QUE JEUNESSE SE PASSE. – *En usage au Québec.* **– Ang.** Youth must have its fling.

CE QUE POULAIN PREND EN JEUNESSE, IL LE CONTINUE EN VIEILLESSE. – Qc On parle comme on a été appris. **– Ang.** What youth is used to, age remembers.

IL FAUT TRAVAILLER EN JEUNESSE POUR REPOSER EN VIEILLESSE. – Qc La jeunesse pour construire, la vieillesse pour mourir. **– Ang.** For age and want, save while you may: no morning sun lasts a whole day.

SI JEUNESSE SAVAIT ET [SI] VIEILLESSE POUVAIT... [JAMAIS LE MONDE NE FAILLIRAIT]. – *La première partie de l'énoncé est en usage au Québec.* **– Fr.** Si jeune savait et [si] vieux pouvait... [jamais disette n'y aurait, jamais pauvre ne serait] (*xix*) ♦ Si jeunesse sçavoit, si vieillesse pouvoit (*xvi*). **– Ang.** If youth [but] knew [could age but do] ♦ What age would crave, it would both get and save.

QUAND LA NEIGE EST SUR LA MONTAGNE, LE BAS EST BIEN FROID. — Qc Ça sert à rien de faire chauffer l'eau quand il n'y a plus de stime [*de l'angl.* «steam»: *vapeur*].

LA VALEUR N'ATTEND PAS LE NOMBRE DES ANNÉES. — *En usage au Québec.*

LE VIEIL ARBRE TRANSPLANTÉ MEURT. — Fr. Un vieux pigeon n'a jamais quitté son pigeonnier (*Auvergne*). — **Qc** Un vieux rosier ne se transplante pas. — **Ang.** Remove an old tree and it will wither to death.

C'EST DANS LES VIEILLES MARMITES QU'ON FAIT LA BONNE SOUPE [LA MEILLEURE SOUPE]. — Fr. Dans les vieux pots, les bonnes soupes (*XVII*e) ♦ Il n'est abay que de vieux chiens (*XVI*e). — **Qc** C'est dans les

vieux chaudrons qu'on trouve les meilleurs ragoûts ♦ C'est le plus vieux poêle qui chauffe le plus fort. — **Ang.** There's many a good tune played on an old fiddle ♦ A new broom sweeps clean but an old one knows the corners best (*Nouvelle-Écosse, Canada*).

VIEUX BŒUF

VIEUX BŒUF FAIT LA RAIE DROITE [FAIT SILLON DROIT]. — Fr. C'est dans les vieilles marmites qu'on fait la bonne soupe [la meilleure soupe]. — **Qc** Rien comme [Vive] les [Ça prend de] vieux ciseaux pour couper [pour tailler] la soie. **— Ang.** An old ox makes a straight furrow ♦ Nothing like the old horse for the hard road (*É.-U.*).

VIEUX SINGE

CE N'EST PAS À UN VIEUX SINGE QU'ON APPREND À FAIRE LA GRIMACE. — Fr. On ne prend pas les vieux merles à la pipée ♦ Vieux chien [Vieil chien] est mal à mettre en lien ♦ Vieil oiseau ne se prend pas à la pipée

♦ On ne prend pas les vieux moineaux avec de la paille
♦ On n'apprend pas à nager aux poissons ♦ La pomme
est pour le vieux singe (*vieilli*). — **Qc** Ce n'est pas aux
vieux singes qu'on apprend à [Personne (ne) montre à
un vieux singe comment] faire la grimace [des grima-
ces]. — **Ang.** Don't tell new lies to old rogues ♦ Old
birds are not cought [You cannot catch old birds] with
chaff ♦ An old fox needs learn no craft ♦ You can't teach
an old dog new tricks ♦ An old dog barks not in vain ♦
Teach [You cannot teach] your grandmother to suck
eggs.

VOYAGES

LES VOYAGES FORMENT LA JEUNESSE. — **Qc** Les voyages forment la jeunesse... [et déforment la vieillesse]. —
Ang. Travel broadens the mind [of the youth].

Justice / injustice

ACCOMMODEMENT

UN MÉCHANT [UN MAUVAIS] ACCOMMODEMENT VAUT MIEUX QU'UN BON [QUE LE MEILLEUR] PROCÈS. — Fr. Un mauvais arrangement est préférable à un bon procès ♦ Gagne assez qui sort de procès ♦ S'arranger vaut mieux que plaider ♦ La meilleure entente vaut mieux qu'un [que le meilleur] procès ♦ Un maigre accord est préférable à un gros procès (*vieilli*). **— Qc** Le plus petit [Le plus chéti'] arrangement vaut mieux que le meilleur procès. **— Ang.** A lean compromise is better than a fat law-suit ♦ An ill agreement is better than a good judgment.

ÂNE

CHANTEZ À L'ÂNE, IL VOUS FERA DES PETS. — Fr. Si vous donnez de l'avoine à un âne, il vous paiera avec des pets ♦ Nourris un corbeau, il te crèvera les yeux ♦ Obliger un ingrat, c'est perdre son bienfait ♦ Faites du bien à un [au] vilain, il vous chiera [il fera caca] dans la main [il vous rendra du mal] ♦ Fais du bien à Bertrand, tu seras payé en chiant (*Auvergne*) ♦ Chantez à l'âne, il vous ferra [il vous frappera] des pieds (*xviᵉ*) ♦ Dépends un pendard, il te pendra (*xviᵉ*) ♦ On nourrit tel chien [quaiel, quayel, wagnon] qui puis cœurt sus son maistre (*xvᵉ*) ♦ C'est bien lessive perdue d'en laver la tête à ung âne (*xivᵉ*) ♦ Oignez vilain il vous poindra, poignez vilain, il vous oindra (*xivᵉ*) ♦ Chantez à l'âne, il vous fera des petz (*xivᵉ*). **— Qc** Donne un bonbon [Fais du bien, Donne à manger] à un [Fais du bien à ton] cochon, [et] il viendra [pour qu'il vienne] chier [faire] sur ton perron ◆ Fais du bien à un vilain, il te chiera [et il te fait] dans les mains [dans la main] ◆ Faites du bien aux humains, ils vous feront dans les mains [dans la main] ◆ Donnez de l'avoine à un âne, il vous pétera au nez. **— Ang.** Do a man a good turn and he'll never forgive you ◆ Breed up a crow and he will tear out your eyes.

BON CHIEN

À UN BON CHIEN IL N'ARRIVE JAMAIS UN BON OS (*r. XIXᵉ*). **— Qc** Un bon os ne tombe jamais dans la gueule d'un bon chien. **— Ang.** Into the mouth of a bad dog falls many a good bone.

BUISSONS

IL A BATTU LES BUISSONS ET UN AUTRE A PRIS LES OISILLONS. — Fr. Souvent celui qui travaille mange la paille, celui qui ne fait rien mange le foin (*Agen*) ◆ Qui travaille mange la paille, qui ne fait rien mange le foin

(*Dauphiné*) ♦ Ce n'est pas l'âne qui gagne l'avoine qui la mange (*Auvergne*) ♦ Vous battez les buissons dont un autre a les oysillons (*xvie*) ♦ Tel bat aucunes foiz les buissons dont ung autre a les oisillons (*xive*). — **Qc** Il y a cinq cennes [*cents*] de différence entre celui qui [ne] travaille pas et celui qui travaille, c'est celui qui [ne] travaille pas qui l'a. — **Ang.** One beats the bush and another catches the birds ♦ One ploughs, another sows, who will reap, no one knows.

CÉSAR

IL FAUT RENDRE [RENDEZ] À CÉSAR CE QUI EST À CÉSAR [ET À DIEU CE QUI EST À DIEU]. — *D'après* Matthieu, *22,21.* — **Qc** À chacun son mérite. — **Ang.** Render to Ceasar the things which are Ceasar's [and to God the things that are God's].

INJUSTICE

IL EST PRÉFÉRABLE DE SOUFFRIR D'UNE INJUSTICE QUE DE LA COMMETTRE. — **Qc** Mieux vaut souffrir le mal que de le faire. — **Ang.** It is better to suffer wrong than to do it.

JUGE

PERSONNE NE PEUT ÊTRE JUGE DANS SA PROPRE CAUSE. — **Fr.** On ne peut être [à la fois] juge et partie (*d'après Plutarque:* «Nemo judex et pars»). — **Qc** On n'est pas juge dans sa propre cause. — **Ang.** Nobody ought to be a judge in his own cause ♦ No man may be both accuser and judge ♦ You can't be judge and jury. You must not cut and deal too (*É.-U.*).

LA JUSTICE EST COMME LA CUISINE, IL NE FAUT PAS LA VOIR DE TROP PRÈS. — Qc On ne va pas chercher son honneur en cour. **— Ang.** Agree, for the law is costly (*approximatif*).

LOI

C'EST LA LOI ET LES PROPHÈTES. — Fr. Nul n'est censé ignorer la loi. **— Qc** La loi, c'est la loi. **— Ang.** Ignorance of the law excuses no man.

PREMIERS

LES PREMIERS SERONT LES DERNIERS. — *D'après* Matthieu. **— Fr.** Les derniers venus font les maîtres (*xvi*ᵉ). **— Qc** Le dernier vaut mieux que le premier. **— Ang.** The first shall be the last.

PROCÈS

GAGNE ASSEZ QUI SORT DE PROCÈS. — Fr. Procès, taverne et urinal chassent l'homme à l'hôpital ◆ Qui gagne son procès est en chemise, qui le perd est tout nu (*Dauphiné*) ◆ En maison de qui te veut mal, vienne un procès et urinal (*vieilli*) ◆ Grand plaideur ne fut jamais riche (*xv*ᵉ). **— Qc** D'un procès, le gagnant sort en queue de chemise, le perdant tout nu. **— Ang.** A suit at law and a urinal bring a man to the hospital.

SAINT PIERRE

IL NE FAUT PAS DÉPOUILLER SAINT PIERRE POUR HABILLER SAINT PAUL. – *Du latin:* Nudato Petro, Paulum tegere nefas. **– Fr.** Il ne faut pas creuser un trou pour en boucher un autre ♦ Qui loue saint Pierre ne blasme pas saint Paul (*XIVe*). **– Qc** Il ne faut pas déshabiller Pierre pour habiller Jacques. **– Ang.** Don't rob Peter to pay Paul.

SEIGNEUR

À TOUT SEIGNEUR TOUT HONNEUR. – *En usage au Québec.* **– Fr.** À chaque saint sa chandelle ♦ À tous seigneurs tous (toutes) honneurs (*XIIIe*). **– Ang.** Honour to whom honour is [honour where] due.

VERRES

QUI CASSE LES VERRES LES PAIE (*r. XVIIIe*). **– Fr.** Les casseurs seront les payeurs ♦ Qui fait la faute [la folie] la boit ♦ Qui casse paye ♦ Qui fait la boulette la mange. **– Qc** Qui casse les vitres les paye. **– Ang.** The culprit must pay for the damage ♦ Who breaks pays.

Mesure / démesure

ABONDANCE

ABONDANCE [DE BIENS] NE NUIT PAS [N'A JAMAIS RIEN GÂTÉ] (*r. xixe*). — *Du latin:* Quod abundat, non vitiat. — **Fr.** Quand on prend du galon, on n'en saurait trop tendre ♦ Quand y en a plus, y en a encore. — **Qc** Abondance de biens n'a jamais rien gâté ♦ L'abondance de bénédictions ne nuit pas. — **Ang.** Plenty is no plague ♦ You can't have too much of a good thing.

CANON

NE METS PAS EN BATTERIE UN CANON CONTRE UNE MOUCHE. — **Fr.** Prendre une massue pour tuer une mouche (*loc. prov.*) ♦ Prendre un pavé pour écraser une mouche (*loc. prov.*). — **Qc** On ne tire pas de canon pour écraser une punaise. — **Ang.** A big hammer to knock in a tin-tack (*loc. prov.*) ♦ It's like breaking a butterfly on the wheel (*loc. prov.*) ♦ To crack a nut with a steamhammer (*loc. prov.*).

COCHONS

QUAND LES COCHONS SONT PLEINS, LEUR NOURRITURE EST MAUVAISE (*Artois*). — **Fr.** À pigeon soûl, cerises sont [Le pigeon soûl trouve les cerises] amères (*r. xviie*) (*du latin:* Mus satur insipidam deiudicat esse farinam) ♦ À pigeons repus, les vesces paraissent amères (*Languedoc*). — **Qc** Les cochons sont soûls [l'un], les truies s'en plaignent [l'autre]. — **Ang.** When the mouse has had enough, the meal is bitter.

CORDE

PAR TROP TENDRE LA CORDE, ON LA ROMPT. — Qc
Quand la corde est trop raide, elle casse.

CUISINIERS

TROP DE CUISINIERS GÂTENT LA SAUCE. — Qc Il y a
beaucoup de chefs [et, mais] pas [beaucoup] d'Indiens
[de soldats]. **— Ang.** Too many cooks spoil the broth.

DERNIÈRE GOUTTE

**C'EST LA DERNIÈRE GOUTTE QUI FAIT DÉBORDER LE
VASE. — Fr.** La sursomme abat l'âne. **— Qc** Quand la
cruche est pleine, elle renverse. **— Ang.** It's the last
straw that breaks the camel's back.

EMBRASSE

**QUI TROP EMBRASSE MAL ÉTREINT [MANQUE LE
TRAIN].** — *En usage au Québec.* **— Fr.** Qui trop se
hâte reste en chemin ♦ On risque de tout perdre en
voulant trop gagner ♦ Qui trop embrasse mal étreint

(*XVIIIᵉ*) ♦ À trop acheter, n'y a qu'à revendre (*XVIᵉ*) ♦ Qui trop embrasse peu [mal] estraind (*XIVᵉ, cité en latin dans le* Liber consolationis et consilii, *XIIIᵉ*) ♦ Qui plus [tout] convoite plus [tout] pert (*XIVᵉ*) ♦ Qui plus convoite qu'il ne doit, sa convoitise le deçoit (*XIVᵉ*) ♦ Qui trop convoite, il vit dolentement (*XIVᵉ*). **— Qc** Qui trop embrasse manque son train. **— Ang.** Grasp all, lose all ♦ Brag is a good dog, hold-fast a better ♦ Ambition often overleaps itself ♦ Covetousness breaketh the bag ♦ Much attempt, nothing do ♦ He that grasps at too much holds nothing fast ♦ Grasp no more than thine hand will hold (*vieilli*) ♦ Don't bite off more than you can chew (*É.-U.*).

JEU

JEU OÙ IL Y A DOMMAGE NE VAUT RIEN. — Fr. La plaisanterie doit mordre comme une brebis et non comme un chien ♦ Quand ils rient, les chiens se battent (*loc. prov.*). **— Qc** C'est en jouant que [En riant] les chiens mordent. **— Ang.** Good jests bite like lambs, not like dogs.

JEU DE MAINS

JEU DE MAINS, JEU DE VILAINS. — *En usage au Québec.* **— Fr.** Jeu de pied, jeu de charretier ♦ Jeu de main, jeu de vilain (*Normandie*) ♦ Juoc de mans, juoc de vilans (*vieilli*). **— Ang.** Manual jokes are clown jokes.

IL Y A UNE LIMITE [À TOUT]. – **Qc** Y a un boutte (*bout*) à toute (*à tout*)! – **Ang.** The line must be drawn somewhere.

BON VIENT À MIEUX ET MIEUX À MAL. – **Fr.** Justice extrême est extrême injustice (*du latin:* Summum ius, summa iniuria). – **Qc** Une personne vertueuse est une personne vicieuse. – **Ang.** Extreme right is extreme wrong.

IL NE FAUT PAS JETER LE MANCHE APRÈS LA COGNÉE.
– **Fr.** Il ne faut pas jeter la graine après la balle. – **Qc** Il ne faut pas jeter le bébé avec l'eau du bain. – **Ang.** Never throw the rope in after the bucket ♦ Never throw the helve after the axe.

IL Y A UNE MESURE EN TOUTES CHOSES. – *Du latin:* Est modus in rebus. – **Qc** Il ne faut pas [trop] charrier. – **Ang.** There is a measure in all things.

PARLER

TROP PARLER NUIT [TROP GRATTER CUIT, TROP PARLER NUIT]. – *Cité dans La Fontaine, Fables, d. XIII*. – **Fr.** Qui de tout se tait, de tout a paix ◆ Dans bouche fermée, rien ne rentre ◆ [Le silence est d'or] La parole est d'argent ◆ Il ne faut pas avoir la langue trop longue ◆ Trop grata quescots E trop parla quenotz (*Languedoc*) ◆ En bouche close n'entre mouche (*XVIIᵉ*) ◆ Trop tirer rompt la corde (*XVIᵉ*) ◆ En trop parler n'y a pas raison (*XVIᵉ*) ◆ Il advient souvent contraire de parler quant on se doit taire (*XIVᵉ*) ◆ On prend l'homme par la langue (*XVᵉ*) ◆ Trop gratter cuit [trop parler nuit] (*XIIIᵉ*). – **Qc** Trop parler nuit, trop gratter cuit [trop tirer casse]. – **Ang.** Least said, soonest mended ◆ The less said the better ◆ [Speech is silvern] Silence is golden ◆ Silence does seldom harm ◆ Speak in haste, repent at leisure. They who never think always talk ◆ Think twice before speaking once (*Nouvelle-Écosse, Canada*).

PENSER

TROP PENSER FAIT RÊVER. – Qc À [trop] penser on devient pensu (*pansu*).

PÉTER

IL NE FAUT PAS PÉTER PLUS HAUT QUE LE [QUE SON] CUL. – Fr. Il ne faut pas se moucher plus haut que le [que son] nez ◆ On ne saurait péter plus haut que le cul (*XVIIᵉ*). – **Qc** Il ne faut pas péter plus haut que le trou. – **Ang.** Don't aspire above your station ◆ Keeping up with the Jones (*É.-U.*).

À PIGEON SOÛL, CERISES SONT [LE PIGEON SOÛL TROUVE LES CERISES] AMÈRES (r. xviie). — *Du latin:* Mus satur insipidam deiudicat esse farinam. **— Qc** Les truies sont soûles [*l'un*], les cochons s'en plaignent [*l'autre*]. **— Ang.** When the mouse has had enough, the meal is bitter.

ROBE

IL FAUT TAILLER LA [SA] ROBE [SON MANTEAU] SELON LE [SON] DRAP. — Qc Il faut vivre selon ses moyens. **— Ang.** Cut your coat according to your cloth ♦ One must cut one's coat according to one's cloth.

SURPLUS

LE SURPLUS ROMPT LE COUVERCLE. — Qc Quand la poche est pleine, elle renverse. **— Ang.** Too much breaks the bag.

SURSOMME

LA SURSOMME ABAT L'ÂNE. — Fr. Tant va la cruche à l'eau qu'à la fin elle se brise ♦ C'est la dernière goutte qui fait déborder le vase. **— Qc** Quand la marmite bouille [*bout*] trop fort, ça finit par sauter. **— Ang.** A pitcher that goes oft to the well is broken at last ♦ The pot [the pitcher] goes once too often to the well ♦ It's the last straw that breaks the camel's back.

IL VAUT MIEUX AVOIR TROP QUE PAS ASSEZ. — Qc
Mieux vaut en avoir trop que pas assez. **— Ang.** Store
is no sore.

ON N'EN A JAMAIS TROP. — *En usage au Québec.* **— Fr.**
Abondance de biens ne nuit pas (*du latin:* Superflua
non nocent). ♦ Il n'y a point assez s'il n'y a trop (*vieilli*)
♦ Au riche homme souvent sa vache vêle, et du pauvre
le loup veau emmène (*xvi*e). **— Qc** On n'en a jamais de
trop ♦ Vaut mieux être riche et en santé que pauvre et
malade. **— Ang.** 'tis better to wear out shoes than
sheets ♦ You can't have too much.

RIEN DE TROP. — *Cité dans La Fontaine,* Fables. **— Qc** Faut
[Il ne faut] pas abuser des bonnes choses. **— Ang.**
Enough is as good as a feast.

**IL NE FAUT PAS AVOIR LES YEUX PLUS GRANDS QUE
LE VENTRE. — Fr.** Les yeux sont plus grands que le
ventre ♦ On ne doit pas avoir les yeux plus grands que
le ventre (*xv*e). **— Qc** Il ne faut pas avoir les yeux plus
grands que la panse ♦ Il ne faut pas en prendre plus
qu'on peut [en] supporter. **— Ang.** Don't bite [off] more
than you can chew ♦ The eye is bigger than the belly
♦ The eyes shouldn't be bigger than the stomach ♦
Eyes are bigger than one's stomach ♦ Raise nae mair
deils than ye able to lay (*Écosse*).

Monter / descendre

DE GRANDE MONTÉE, GRANDE CHUTE. — Fr. Bien bas choit qui trop haut monte ♦ À haute montée le fais encombre (*xv*ᵉ) ♦ Qui plus haut monte qu'il ne doit, de plus haut chet qu'il ne voudroit (*xıv*ᵉ). **— Qc** Tout ce qui monte doit redescendre. **— Ang.** The higher standing, the lower fall ♦ The higher the fool, the greater the fall.

CUL PELÉ

PLUS LE SINGE S'ÉLÈVE, PLUS IL MONTRE SON CUL PELÉ (*r. xıx*ᵉ). **— Qc** Plus un singe monte dans un arbre, plus il monte sur les fesses.

MAUVAISE HERBE

LA MAUVAISE HERBE CROÎT VITE. — Fr. Mauvaise herbe croît soudain (*xvı*ᵉ) ♦ Mauvaise graine est tôt venue (*La Fontaine*, Fables). **— Qc** La mauvaise herbe [ça] pousse [vite] [Ça pousse vite, la mauvaise herbe] ♦ Le chiendent, ça pousse vite. **— Ang.** Ill weeds grow [Ill weed grows] apace [Ill weeds wax well] [Ill weeds grow fast].

MAUVAISE HERBE NE MEURT PAS. — *Du latin:* Mala herba no interit. **— Fr.** Mauvaise herbe croît toujours (*Érasme*, Adages, *xvı*ᵉ) ♦ Mauvaise herbe croist voulentiers (*xv*ᵉ). **— Ang.** Fools grow without watering ♦ A bad penny always shows up ♦ The bad penny keeps coming back (*É.-U.*).

LA RIVIÈRE NE GROSSIT PAS SANS ÊTRE TROUBLE. —
Qc Quand une rivière grossit, son eau se salit.

BEAU SOULIER DEVIENT EN FIN SAVATE. — Fr. Il n'y a
si beau soulier qui ne devienne savate. **— Qc** Quand le
blé mûrit, le pain moisit.

Obéir / commander

APPRENTI

APPRENTI N'EST PAS MAÎTRE. — **Qc** Quand on est valet, on n'est pas roi. — **Ang.** You must spoil before you spin.

CHIEN

UN CHIEN REGARDE BIEN UN ÉVÊQUE... [ET UN CHAT UN AVOCAT] *(Auvergne)*. — *En usage au Québec.* — **Ang.** A cat may look at a king.

DIEU

IL VAUT MIEUX AVOIR AFFAIRE À DIEU QU'À SES SAINTS. — **Fr.** Il vaut mieux se tenir au gros de l'arbre qu'aux branches. — **Qc** Pourquoi voir le vicaire quand on peut voir le pape? — **Ang.** It is always better to apply to headquarters.

L'HOMME PROPOSE, [ET] DIEU DISPOSE. — *Du latin:* Homo proponit, Deus disponit. *En usage au Québec.* — **Fr.** L'homme s'agite et Dieu le mène *(Fénelon)*. — **Qc** On propose [et] Dieu dispose. — **Ang.** Man proposes, God disposes ♦ When Heaven appoints, man must obey.

CE QUE FEMME VEUT, DIABLE VEUT. — **Fr.** Ce que femme veut, Dieu le veut (*r. xixe, en usage au Québec*). — **Qc** Parole de femme, parole de Dieu. — **Ang.** What woman wills, God wills.

L'HOMME PROPOSE ET LA FEMME DISPOSE. — **Qc** L'homme propose, la femme se repose [la femme dispose]. — **Ang.** What woman wills, God wills.

NOBLESSE OBLIGE. — **Fr.** L'aigle ne chasse point aux mouches (*vieilli*). — **Qc** Les singes avant les princes.

NOBLESSE VIENT DE VERTU. — **Qc** Quand on est roi, on n'est pas valet.

VOYAGE DU [DE] MAÎTRE, NOCES DES [DE] VALETS. — **Qc** Dieu est parti, les enfants s'amusent. — **Ang.** When the cat is away, the mice will play.

IL FAUT APPRENDRE À OBÉIR POUR SAVOIR COMMANDER. — *D'après une maxime de Solon citée par Stobée: «Apprenez à obéir avant de commander.»* — **Fr.** Il n'y a point de plus sage abbé que celui qui a été moine (*vieilli*). — **Qc** C'est plus facile d'obéir que de commander.

QUI PAIE COMMANDE. — Fr. C'est le client qui commande ♦ Qui paye les violons choisit le morceau [peut choisir la chanson]. **— Qc** Le client est roi [a (toujours) raison]. **— Ang.** He that [who] pays the piper calls [may call] the tune ♦ The market is the buyer's ♦ As you pipe, I must dance.

PAYEZ

PAYEZ, VOUS SEREZ CONSIDÉRÉ. — Fr. Le bon payeur est de bourse d'autrui seigneur (*XVII*ᵉ). **— Qc** Payez et vous serez considéré. **— Ang.** Short reckonings make long friends.

SERVI

POUR SAVOIR COMMANDER, IL FAUT AVOIR SERVI (*Auvergne*). **— Fr.** Aucun n'est digne d'avoir seigneurie ou maîtrise sur autruy qui ne peut estre maître de luy mesmes (*XIV*ᵉ) ♦ Le dernier vœult estre le maître (*XV*ᵉ). **— Qc** Avant d'être capitaine, il faut être matelot.

SOLEIL

OÙ LE SOLEIL LUIT, LA LUNE N'A [N'Y A] QUE FAIRE. **— Fr.** Trop de cuisiniers gâtent la sauce (*approximatif*) ♦ Apprenti n'est pas maître (*approximatif*). **— Qc** Il faut qu'il n'y ait qu'une tête. **— Ang.** If two men ride on a horse, one must ride behind ♦ The moon's not seen where the sun shines ♦ Too many cooks spoil the broth (*Nouvelle-Écosse, Canada, et É.-U.*).

MIEUX VAUT ÊTRE TÊTE DE CHAT QUE QUEUE DE LION.

– Fr. Il vaut mieux [Mieux vaut] être le premier dans son [au] village que le second à Rome (*du latin:* Malo hic esse primus quam Romæ secundus). **– Qc** Mieux vaut être tête de souris que queue de lion. **– Ang.** Better to reign in hell than serve in heaven ♦ Better be first in a village than second at Rome ♦ Better be the head of a geomanry than the tail of the gentry ♦ It's better to be head of a gudgeon than the tail of a sturgeon ♦ Better be the head of a dog than the tail of a lion ♦ Better be the head of an ass than the tail of a horse.

Parents / enfants

CHIEN

BON CHIEN CHASSE DE RACE *(XIXe)* — **Fr.** Qui naquit chat court après les souris ♦ Bon sang ne peut mentir ♦ De race, le chien chasse *(Auvergne, Gascogne, Limousin)* ♦ De race, le chien chasse ou n'est pas bon chien *(Provence)* ♦ Chien de chasse, chasse de race *(Gascogne)*. — **Qc** Bon chien de chasse tient de race. — **Ang.** What is bred in the bone will come out in the flesh ♦ Blood will tell ♦ A well-bred dog hunts by nature ♦ Cat after kind, good mouse-hunt.

FILLE

TELLE MÈRE, TELLE FILLE [TEL PÈRE, TEL FILS, TELLE MÈRE, TELLE FILLE] — *Du latin:* Ut pater, ita filius, ut mater, ita filia. *Cité dans la Bible* (Ézéchiel, 16,44). — **Fr.** Mère piteuse fait fille teigneuse *(XIIIe)* — **Qc** Telle mère, telle fille — **Ang.** Like mother, like daughter [Like father, like son, like mother, like daughter].

UNE FILLE, PEU DE FILLES, DEUX FILLES, ASSEZ DE FILLES, TROIS FILLES, TROP DE FILLES, QUATRE FILLES ET LA MÈRE: CINQ DIABLES CONTRE LE PÈRE *(Auvergne)* — **Fr.** I vaut miux faire guernier d'avangne qué de filles *(région boulonnaise)* ♦ Trois filles avec la mère font quatre diables pour le père *(Provence)* — **Qc** Vaut mieux avoir dix filles que dix mille.

À PÈRE AVARE, FILS PRODIGUE – Fr. À père avare, enfant prodigue ♦ Ce que chiche épargne, large le dépense ♦ À père pilleur, fils gaspilleur **– Ang.** A miserly father makes a lavish son ♦ Niggard father, spendthrift son ♦ After a thrifty father, a prodigal son.

TEL PÈRE, TEL FILS... [TELLE MÈRE, TELLE FILLE]. *Du latin:* Ut pater, ita filius; ut mater, ita filia. *En usage au Québec* **– Fr.** Tel père, tel enfant (*xve*) ♦ De sage mère, sage enfant (*xive*) **– Ang.** The apple doesn't roll far from the apple-tree ♦ Like wood, like arrows ♦ Like father, like son ♦ A chip off the old block (*É.-U.*).

MÈRE

QUI VEUT AVOIR LA FILLE DOIT FLATTER LA MÈRE. – Qc Quand on veut la fille, on caresse le bonhomme. **– Ang.** He that would the daughter win must with the mother first begin.

SOUCHE

UNE BONNE SOUCHE PORTE BIEN UN MAUVAIS SCION (*REJETON*). – Fr. D'un œuf blanc on voit souvent un poulet éclore bien noir **– Qc** Une bonne vache laitière peut donner de chéti' (*chétifs*) veaux **– Ang.** Clergymen's sons always turn out badly.

Piété / impiété

ÉGLISE

PRÈS DE L'ÉGLISE ET [QUI EST PRÈS DE L'ÉGLISE EST SOUVENT] LOIN DE DIEU (*r. xvᵉ*). — **Fr.** Près de l'église, loin de la dévotion (*Auvergne*). — **Qc** Près de l'église, loin de Dieu. — **Ang.** The nearer the church, the farther from God.

ÉLUS

BEAUCOUP [IL Y A BEAUCOUP] D'APPELÉS, [MAIS] PEU D'ÉLUS. — *D'après* Matthieu, *22,14.* — **Qc** Beaucoup sont appelés, peu sont élus. — **Ang.** Many are called but few are chosen.

FOI

IL N'Y A QUE LA FOI QUI SAUVE (*r. xixᵉ*). — **Fr.** Le juste vivra par la foi. — **Qc** L'essentiel c'est le ciel. — **Ang.** Faith is half the battle ♦ The just shall live by faith.

Possible / impossible

ÂNE

D'UN ÂNE ON NE PEUT PAS DEMANDER DE LA VIANDE DE BŒUF [ON NE DEMANDE PAS L'IMPOSSIBLE].
— Qc On ne demande pas à un cheval de pondre un œuf. **— Ang.** Look not for musk in a dog's kennel.

BOIRE

ON NE SAURAIT (PAS) FAIRE BOIRE UN ÂNE QUI N'A PAS SOIF. — Fr. On a beau mener le bœuf à l'eau s'il n'a pas soif (*XVe*). **— Qc** On peut [Je peux] mener un cheval à [jusqu'à] l'abreuvoir mais on ne peut [pas] le forcer [mais je ne peux pas l'obliger] à boire. **— Ang.** You may take [You can lead, take] a horse to the water, but you can't make him drink ◆ One man may lead an ass to the pond's brink but twenty men cannot make him drink ◆ Wild horses couldn't drag someone (*É.-U.*).

BOUT DE LA RUE

LE BOUT DE LA RUE FAIT LE COIN (*L'ÉVIDENCE EST INDÉNIABLE*) (*r. XVIIIe*). — Fr. Cette année, les maladies ne sont pas saines. **— Qc** Il fait plus chaud [On est mieux] en bas de laine qu'en bas de zéro.

BUSE

D'UNE BUSE ON NE SAURAIT FAIRE UN ÉPERVIER. — Qc
Un chien [n']engendre pas un siffleux. **— Ang.** A carrion kite will never make a good hawk.

CHATS

QUAND LES CHATS SIFFLERONT, À BEAUCOUP DE CHOSES NOUS CROIRONS. — Qc Si les cochons avaient des ailes, ça ferait des beaux serins. **— Ang.** If ifs and ands were pots and pans, there would be no use for tinkers ♦ If wishes were horses, beggars would ride ♦ If wishes were thrushes, beggars would eat birds.

CIEL

SI LE CIEL TOMBAIT, IL Y AURAIT BIEN DES ALOUET-TES PRISES. — *Du latin:* Si cœlum caderet multœ caperentur alaudœ. **— Fr.** Si la mer bouillait, il y aurait bien des poissons de cuits ♦ Si le grand était vaillant et le petit patient et le rousseau loyal, tout le monde serait égal ♦ Si souhaits fussent vrays, pastoreaulx seraient roys (*vieilli*). **— Qc** S'il y avait seulement des scies, il n'y aurait plus de poteaux ♦ Si ma grand-mère avait eu des roues, elle aurait pu être un autobus ♦ Si [tous] les chiens [de Paris] avaient [chiaient, sciaient] des haches [scies], il n'y aurait pas [il n'y aurait plus] de poteaux [ils se fendraient, ils se scieraient, ils se feraient scier le cul] ♦ Si les poules pondaient des haches, elles se fendraient le cul. **— Ang.** Pigs might fly.

CŒUR VAILLANT

À CŒUR VAILLANT, RIEN D'IMPOSSIBLE. – Qc Pas capable est mort, son père est enterré. **– Ang.** Fortune helps those who help themselves.

ÉCRITURES

ON NE PEUT PAS ACCORDER [CONCILIER] LES ÉCRITURES. – Fr. Comparaison n'est pas raison ♦ Toute comparaison est boiteuse ♦ Ce n'est mie comparaison de suie à miel (*vieilli*) ♦ Comparaisons sont odieuses (*XVIe*) ♦ Il ne faut pas confondre le coco et l'abricot, le coco a de l'eau, l'abricot un noyau (*Martinique*). **– Qc** On compare pas des pommes avec des oranges. **– Ang.** No simile runs on all fours.

FENÊTRE

QUI NE PEUT PASSER PAR LA PORTE SORT PAR LA FENÊTRE. – Fr. Tous les moyens sont bons ♦ La femme qui aime à laver trouve toujours de l'eau (*Suisse*). **– Qc** Il y a toujours moyen de moyenner. **– Ang.** When there's a will, there's a way.

FILLE

LA PLUS BELLE FILLE DU MONDE NE PEUT DONNER QUE CE QU'ELLE A. – Qc On donne rien que ce qu'on a. **– Ang.** Where nothing is, nothing can be done.

ON NE PEUT ÊTRE ENSEMBLE [ON NE SAURAIT, ON NE PEUT (PAS) ÊTRE À LA FOIS] AU FOUR ET AU MOULIN. — **Fr.** On ne peut être ensemble [On ne saurait être à la fois, On ne peut (pas) être à la fois] à la foire et au moulin ◆ On ne peut pas sonner la cloche et suivre la procession ◆ On ne peut faire d'une fille plusieurs gendres ◆ On ne saurait boire et souffler le feu ◆ On ne peut à la fois courir et sonner du cor (*XIIIᵉ*). — **Qc** On ne peut pas faire les hot-dogs et servir les clients. — **Ang.** You can't whistle and drink at the same time ◆ One thing at a time ◆ One cannot be in two places at once (*du latin:* Hic esse et illic simul non possum) ◆ One cannot do two things at once ◆ You cannot cut and deal too (*É.-U.*).

VOUS NE POUVEZ PAS MANGER VOTRE GÂTEAU ET LE GARDER. — **Fr.** On ne peut avoir le drap et l'argent ◆ On ne peut pas avoir le lard et le cochon (*Bourbonnais*). — **Qc** Tu ne peux pas [toujours] avoir le beurre

et l'argent du beurre. — **Ang.** You cannot have your cake and eat [You cannot eat your cake and have] it.

HUILE

ON NE PEUT TIRER DE L'HUILE D'UN MUR. — Qc On ne peut pas mettre une pinte dans un demiard. — **Ang.** You cannot make a horn from a pig's tail.

IMPOSSIBLE

IL NE FAUT PAS DEMANDER L'IMPOSSIBLE. — Fr. Il ne faut pas demander la lune ♦ Il ne faut pas chercher le mouton à cinq pattes. — **Qc** Il ne faut [on ne peut] pas en demander trop. — **Ang.** Don't ask for the impossible ♦ It's no good crying for the moon.

LUMIÈRE

ON NE CHERCHE POINT À PROUVER LA LUMIÈRE. — Qc On ne demande pas à un cheval s'il mange de l'avoine.

MALADIES

CETTE ANNÉE, LES MALADIES NE SONT PAS SAINES. — Fr. Le bout de la rue fait le coin (*xviii*e). — **Qc** Les petites pétaques (*patates*) sont pas grosses.

MIDI

IL NE FAUT PAS CHERCHER MIDI À QUATORZE HEU-RES. — *En usage au Québec.* — **Fr.** Chercher midi à quatorze heures (*loc. prov.*). — **Ang.** It is no good crying for the moon ◆ Don't strain at a gnat and swallow a camel ◆ Ye seek het water (*hot water*) under cauld ice (*Écosse*).

ROME

TOUS LES CHEMINS MÈNENT À ROME. — **Qc** Tous les chemins vont à Paris. — **Ang.** All roads lead to Rome ◆ There are more ways to the wood than one.

SAC DE SON

ON NE PEUT TIRER DE LA FARINE D'UN SAC DE SON. — **Fr.** D'un sac à charbon ne saurait sortir de [on ne saurait tirer] blanche farine (*d'après le latin:* Asini cauda non facit cribrum) ◆ On ne saurait faire d'une buse un épervier ◆ D'un goujat, on ne peut faire un gentil-homme ◆ La brebis noire ne fait pas d'agneaux blancs (*Auvergne*) ◆ Nul lait noir, nul blanc corbeau (*XVIe*); De mauvais arbre, mauvais fruit (*XIVe*). — **Qc** Il ne sort pas de pigeon blanc d'un nid de corbeau ◆ On ne trouve pas de colombe dans un nid de corbeau. — **Ang.** You cannot make a silk purse of a sow's ear ◆ You cannot make a horn of a pig's tail.

ON NE PEUT PAS TIRER DE SANG D'UN NAVET [D'UNE PIERRE]. — Fr. Il ne sort du [Il ne saurait sortir d'un] sac que ce qu'il y a [que ce qui y est] (*r. xvᵉ*) ♦ On ne peut pas peigner un diable qui n'a pas de cheveux ♦ On ne fait pas sortir de sang d'une pierre (*région lyonnaise*). **— Qc** On ne peut pas faire sortir du sang d'un navet. **— Ang.** You can't get blood out of a stone [of a turnip] ♦ One cannot make a silk purse out of a sow's ear ♦ There came nothing out of the sack but what was in it ♦ There comes nought out of the sack but what was there (*vieilli*).

SI

AVEC DES [AVEC UN] «SI», ON METTRAIT [ON POURRAIT METTRE] PARIS EN [DANS UNE] BOUTEILLE. — Fr. Si ce n'était le «si» et le «mais», nous serions tous riches à jamais. **— Qc** Avec [des, un] «si» on va à Paris... [avec (des, un) «ça» on reste là].

ON NE PEUT PAS SONNER [LES CLOCHES] ET ALLER À LA PROCESSION. — Fr. On ne peut être à la fois à la messe et à la procession ◆ On ne peut être à la fois au four et au moulin ◆ On ne peut pas être à la foire et au moulin ◆ Vous ne pouvez pas manger votre gâteau et le garder ◆ On ne peut avoir le drap et l'argent ◆ On ne peut pas avoir le lard et le cochon (*Bourbonnais*). **— Qc** On ne peut pas avoir un gâteau et le manger en même temps. **— Ang.** You cannot have your cake and eat [You cannot eat your cake and have] it ◆ One cannot be in two places at once.

Présence / absence

ABSENTS

LES ABSENTS ONT [TOUJOURS] TORT. — *En usage au Québec.* — **Ang.** The absent party are always at fault ♦ The dead are always in the wrong.

CHASSE

QUI VA À LA CHASSE PERD SA PLACE. — **Fr.** Qui quitte la partie la perd ♦ En été comme en hiver, qui quitte sa place la perd (*XVIIᵉ*). — **Qc** Un chien qui va à la chasse perd sa place ♦ Qui laisse sa chaise l'hiver la perd. — **Ang.** Who loves to roam may lose his home.

COUCHÉ

ON EST PLUS COUCHÉ QUE DEBOUT (*r. XVIIIᵉ*). — **Fr.** La vie est courte, l'art est long. — **Qc** On sera plus longtemps couché que debout. — **Ang.** Art is long, life is short.

LOUP

PARLANT DU LOUP, IL SE MONTRE LE COU. — *En usage au Québec.* — **Fr.** Quand on parle du loup on en voit la queue (*r. XVᵉ*). — **Ang.** Talk of the devil and his tail [and his imp] appears [and you will see his horns, and he'll either come or send] ♦ Talk of the celestials and the angels appear.

QUI VA À NOCE(S) SANS PRIER S'EN REVIENT SANS DÎNER. — *Du latin:* Retro sedet ianuam, non invitatus ad aulam. — **Fr.** L'on ne doit point aller aux noces sans y être invité ♦ L'on ne doit jamais aller à noces sans y être prié (*xive*) ♦ Tel l'oison plume qu'au manger n'est pas invité (*xve*). — **Qc** Qui va à noce [aux noces] sans prier [sans être prié] s'en revient sans dîner. — **Ang.** Come uncalled, sit unserved ♦ An unbidden guest must bring his stool with him ♦ An unbidden guest knoweth not where to sit.

Qui quitte la partie la perd. — **Fr.** Qui va à la chasse perd sa place ♦ En été comme en hiver, qui quitte sa place la perd (*xviie*). — **Qc** Qui va à la pêche perd sa chaise. — **Ang.** Who loves to roam may lose his home (*vieilli*).

PARTIR, C'EST MOURIR UN PEU. — *En usage au Québec.* — **Ang.** Parting is such sweet sorrow.

IL EST AUJOURD'HUI SAINT-LAMBERT, QUI SORT DE SA PLACE, IL LA PERD. — Fr. Quand on va àd dudace, on perd és plache, quand on ar'vient, on cach' éch' tchien (*Picardie* [Berck]) ◆ En été comme en hiver, qui quitte sa place la perd (*XVIIe*). **— Qc** C'est aujour-d'hui la Saint-Lambert, qui quitte sa place la perd [c'est aujourd'hui la Saint-Laurent, qui quitte sa place la reprend].

QUAND ON PARLE DU DIABLE, ON VOIT SA QUEUE [ON EN VOIT LA QUEUE]. — Qc En parlant [Quand on parle] du diable, on lui voit les cornes [il nous apparaît, Il faut parler du diable pour lui voir la queue] ◆ Quand on parle [En parlant] du soleil, on voit ses rayons ◆ En parlant de la bête, on lui voit [elle montre] la tête [on la voit apparaître] ◆ Quand on parle des cornes, on voit la bête. **— Ang.** Talk of the angels and you will hear the flutter of their wings. Speak [Speaking] of the devil... (*É.-U.*).

QUAND ON PARLE DU LOUP, ON EN VOIT LA [ON VOIT SA] QUEUE (r. xvᵉ). – *Du latin:* Lupus in fabula. **– Qc** En parlant du chat, on lui voit la queue ♦ En parlant des anges, on leur voit les ailes ♦ En parlant de l'oiseau, on lui voit les plumes [la queue]. **– Ang.** Talk of the celestials and the angels appear.

SOURIS

QUAND LE CHAT N'EST PAS LÀ [QUAND LE CHAT EST PARTI, QUAND LE CHAT N'Y EST PAS], LES SOURIS DANSENT. – Fr. Absent le chat, les souris dansent (r. xvıᵉ). **– Qc** Quand le chat dort, les souris dansent. **– Ang.** When the cat is away, the mice will play.

VOISIN

MIEUX VAUT UN VOISIN PROCHE QU'UN FRÈRE ÉLOIGNÉ. – *D'après* Proverbes, 27,10. **– Fr.** Qui a bon voisin a bon matin (*du latin:* Cui bonus est vicinus, felix illucet dies) ♦ Mieux vaut son bon voisin que longue parenté (xvᵉ). **– Qc** Un bon voisin vaut mieux qu'un parent. **— Ang.** Better is a neighbour that is near than a brother far off ♦ A good neighbour, a good morrow.

YEUX

LOIN DES YEUX [LOIN DE L'ŒIL], LOIN DU CŒUR (*r. XVIIe*). **— Fr.** Le cœur ne peut vouloir ce que l'œil ne peut voir (*du latin:* Quod oculus non videt, cor non desiderat) ♦ Qe oul ne voyt, cuer ne desire (*ancien*). **— Qc** Loin des yeux, près [loin] du cœur. **— Ang.** Out of sight, out of mind ♦ What the eye sees not, the heart [craves] rues not ♦ Long absent [Seldom seen], soon forgotten.

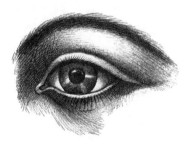

Prudence / imprudence

AVERTI

QUI DIT AVERTI DIT MUNI. — Fr. Une personne avertie [Un averti, Un bon averti, Un homme averti, prévenu] en vaut deux. **— Qc** Un bon avertissement en vaut deux ◆ Une personne avertie en vaut deux. **— Ang.** Forewarned [To be forewarned] is [to be] forearmed.

CHIEN ÉCHAUDÉ

CHIEN ÉCHAUDÉ CRAINT L'EAU FROIDE. — *En usage au Québec.* **— Fr.** Chat échaudé craint l'eau froide ◆ Chien une fois échaudé, d'eau froide est intimidé ◆ Qui s'est brûlé la langue n'oublie pas de souffler sur la soupe ◆ Un renard n'est pas pris deux fois à un piège. **— Qc** Chatte échaudée craint l'eau frette [froide]. **— Ang.** Once bitten, twice shy ◆ A scalded cat dreads [fears] cold water ◆ The burnt child dreads the fire ◆ The best surgeon is [the one] that has been well hacked [slashed] himself ◆ It is a silly fish that is caught twice with the same bait (*Écosse*).

CHIEN EN VIE

CHIEN EN VIE VAUT MIEUX QUE LION MORT. — Fr. Il vaut mieux un âne vivant qu'un savant mort ◆ Plutôt souffrir que mourir, c'est la devise des hommes (*La Fontaine,* Fables) ◆ Mieux vaut goujat debout qu'empereur enterré (*La Fontaine,* Fables). **— Qc** Il vaut mieux endurer sa bête que de la tuer. **— Ang.** Better a living dog than a dead lion.

IL NE FAUT PAS RÉVEILLER LE CHIEN QUI DORT (*r. XVIe*).
— *Du latin:* Irritare canem noli dormire volentem. **— Fr.**
Qui réveille le chien qui dort, s'il mord, il n'a pas tort
(*Auvergne*) ◆ Ne réveillez pas [Il ne faut pas réveiller]
le chat qui dort ◆ Il ne faut pas esveiller le chien qui
dort (*Rabelais*) ◆ Esveiller [Resveiller] le chat [chien] qui
dort (*loc. prov., XIVe*). **— Qc** Il ne faut pas réveiller le
chien qui dort ◆ Il ne faut pas réveiller [On ne déterre
pas, N'éveillons pas] les morts. **— Ang.** Let sleeping
dogs lie ◆ Don't wake a sleeping dog ◆ Wake not a
sleeping wolf.

**QUI CHOISIT [ET] PREND LE PIRE [EST MAUDIT DE
L'ÉVANGILE]. — Qc** Qui choisit prend pire.

COLÈRE

LA COLÈRE EST MAUVAISE CONSEILLÈRE. – Fr. Il faut toujours faire coucher la colère à l'huys [la porte] (*vieilli*). **– Qc** Il faut toujours remettre sa colère au lendemain. **– Ang.** When angry, count to ten.

CORDE

IL NE FAUT PAS [POINT] PARLER DE CORDE DANS LA MAISON D'UN [DU, IL NE FAUT PAS PARLER DE CORDE DEVANT UN] PENDU. *– Du latin:* Ne restim memores apud ipsum reste neccatum. **– Fr.** Il ne faut pas clocher devant les boiteux. **– Qc** On ne parle pas de corde dans la maison d'un pendu. **– Ang.** Don't talk of the hangman's cord ♦ Halt not before a cripple ♦ Name not a rope in his house that hanged himself [in the house of him that was hanged].

COURROIE

FAUT PAS ALLONGER [ÉTENDRE] LA COURROIE (*r. XVIIe*). **– Qc** Faut pas étirer la sauce.

DANGER

QUI CHERCHE LE DANGER Y PÉRIRA. – Fr. Tant va la cruche à l'eau qu'à la fin [qu'enfin] elle se brise ♦ Qui s'expose au péril veut bien trouver sa perte (*Corneille*) ♦ Au bout du fossé la culbute (*XIXe*) ♦ Tant va le pot au puis que il quasse (*XIIIe*) ♦ Tant va pot à l'eve que brise (*Le Roman de Renart*). **– Qc** Qui s'expose au [Qui aime le] danger [y] périra. **– Ang.** He that seeks danger shall perish therein ♦ A pitcher that goes oft [often] to the well is broken at last.

QUI CRAINT LE DANGER NE DOIT PAS ALLER SUR MER.
— **Fr.** Il ne faut pas aller au bois qui a peur des feuilles
♦ Qui craint les feuilles n'aille [pas] [Qui a peur des
feuilles ne va pas] au bois (*du latin:* Folia qui timet,
silvas non adeat) ♦ Qui a peur des fueilles ne voye
point au boys (*xvi*). — **Qc** Si t'as peur de tit Paul, ne
vas pas en mer, le noroît te tuera. — **Ang.** He that
would sail without danger must never come on the
main sea ♦ He that fears leaves must not come into the
wood ♦ He that fears every bush must never go a-
birding.

DÉFIANCE

DÉFIANCE EST MÈRE DE SÛRETÉ. — *Du latin:* Qui facile
credit, facile decipitur. — **Fr.** Méfiance est mère de sûreté (*cité par La Fontaine,* Fables) ♦ Confiance est
mère de dépit ♦ Il est trop tôt déçu qui mal ne pense.
— **Qc** Il faut se défier de tout le monde. — **Ang.** Distrust
is the mother of safety [but must keep out of sight] ♦
Trust is the mother of deceit.

DIABLE

IL NE FAUT PAS TENTER LE DIABLE. — *En usage au
Québec.* — **Fr.** À manger avec le diable, la fourchette
n'est jamais trop longue. — **Ang.** Never tempt the devil.

RÉSISTEZ AU DIABLE ET IL FUIRA LOIN DE VOUS.
D'après Jean, 4,7. — **Qc** Les ruses du diable sont
coudues [cousues]. — **Ang.** Away goes the devil when
he finds the door shut against him ♦ If you don't open
the door to the devil, he goes away ♦ Resist the devil
and he will fly from you.

DOIGT

IL NE FAUT PAS METTRE LE DOIGT ENTRE L'ARBRE ET L'ÉCORCE. – Fr. Entre l'arbre et l'écorce il ne faut pas mettre le doigt (*r. xix*) ♦ Entre l'enclume et le marteau, il ne faut pas mettre le doigt ♦ Ne mettez pas votre doigt entre l'écorce et l'arbre (*cité par Molière,* Le médecin malgré lui) ♦ Qui du fait d'aultruy se mêle, il n'est pas saige (*vieilli*) ♦ On ne doit pas mettre le doigt entre l'escorce le bois (*xvi*) ♦ Mettre le doigt entre le bois et l'escorce (*loc. prov., xv*). **– Qc** Il ne faut pas mettre les doigts entre l'écorce et l'arbre. **– Ang.** Don't put [Put not] your finger between the bark and the tree ♦ Put not thy hand between the bark and the tree (*vieilli*) ♦ Don't go between the tree and the bark (*Écosse*).

EAU CLAIRE

ON N'ENGRAISSE PAS LES COCHONS AVEC DE L'EAU CLAIRE. – *En usage au Québec.* **– Fr.** On ne s'engraisse pas en ne buvant que de l'eau froide (*Bourgogne*). **– Qc** On n'engraisse pas les cochons à l'eau claire.

HASARDE

QUI NE SE HASARDE N'EST JAMAIS PENDU. – Fr. Qui ne risque [Qui ne hasarde] rien n'a [ne gagne] rien ♦ Ventre qui ne prend pas de risques ne peut mourir rassasié (*Gascogne*) ♦ Celui qui se dérange lèche, celui qui reste sur place se dessèche (*Flandres*) ♦ Et ès périls acquiert-on les grans los (*xv*) ♦ Qui va il lesche, qui repose il seiche (*XIVe*) ♦ Qui rien ne cherche, rien ne trouve (*XIVe*). **— Qc** Qui ne risque rien n'a rien [mais qui n'a rien ne risque rien]. **— Ang.** Nothing venture, nothing have; If you will not take pains, pains will take you ♦ Nought venture, nought have (*vieilli*).

HÂTE

QUI TROP SE HÂTE EN CHEMINANT, EN BEAU CHEMIN SE FOURVOIE SOUVENT. — Fr. Qui trop se hâte reste en chemin ♦ Plus on se presse, moins on avance ♦ Qui se hâte trop se fourvoie ♦ Trop presser nuit ♦ Jamais besogne faite avec impétuosité et empressement ne fut bien faite (Roman de Renart, *XIIIe*). **— Qc** Il ne faut pas aller trop vite en besogne ♦ Quand on part en lion, on finit en mouton. **— Ang.** Good and quickly seldom meet ♦ Haste makes waste [trips up its own heels] ♦ Haste trips up its own heels ♦ More haste, less speed.

LANGUE

IL FAUT TOURNER SEPT FOIS SA LANGUE [DANS SA BOUCHE] AVANT DE PARLER. — Fr. On doit penser trois fois à la chose avant de la dire (*XVIe*). **— Qc** Il faut se rouler [Il faut tourner] la [Tourne ta] langue trois [sept] fois [dans la bouche] avant de parler. **— Ang.** Think twice before you speak ♦ Think today and speak tomorrow ♦ Think first and then speak.

IL NE FAUT PAS METTRE TOUS SES ŒUFS DANS LE MÊME PANIER (*r. xixe*). – *En usage au Québec.* – **Fr.** Il ne faut pas mettre tout son rôt à une même broche ♦ L'on ne doit [pas] semer toute sa semence en un champ. – **Qc** Il ne faut pas mettre toute sa semence dans le même champ. – **Ang.** Do not keep all your eggs in one basket ♦ Hang not all your bells on one horse ♦ Venture not all in one bottom.

MIEUX VAUT [IL VAUT MIEUX] PRÉVENIR QUE GUÉRIR. – *En usage au Québec.* – **Fr.** Il vaut mieux au commencement prévenir qu'être prévenu (*xve*). – **Ang.** A stich in time saves nine ♦ Prevention is better than cure ♦ An ounce of prevention is better than a pound of cure.

PRUDENCE [LA PRUDENCE] EST [LA] MÈRE DE [LA] SÛRETÉ. – **Qc** La prudence est la mère de toutes les vertus. – **Ang.** Safety first... [safety always] ♦ Safe bind, safe find.

REGARDEZ À DEUX FOIS AVANT DE SAUTER. – **Qc** Cinq minutes assis vaut mieux que dix minutes debout. – **Ang.** Look before you leap.

QUI NE RISQUE [QUI NE HASARDE] RIEN N'A RIEN. —
Qc Qui n'essaie rien n'a rien. **– Ang.** He that stays in
the valley shall never get over the hill.

SAUVE QUI PEUT! **– Qc** Sauve la graisse, les cortons
(*cretons, rillettes*) brûlent. **– Ang.** Run for your lives! ◆
Every man for himself! ◆ Save your souls!

LE SILENCE EST D'OR, LA PAROLE EST D'ARGENT. — *En
usage au Québec.* **– Fr.** La parole est d'argent [mais,
et] le silence est d'or ◆ Il est bon de parler et meilleur
de se taire ◆ Qui ne parle n'erre (*xvɪ*ᵉ) ◆ Qui garde sa
bouche garde son âme (*xɪv*ᵉ). **– Ang.** (Speech is
silver[n]) Silence is gold(en) ◆ A still tongue makes a
wise head ◆ More have repented of speech than of
silence. Think twice before speaking once (*Nouvelle-
Écosse, Canada*) ◆ The less said the better (*É.-U.*).

Ressources / dénuement

ARGENT

ARGENT CHANGÉ, ARGENT MANGÉ. — Fr. Beau gain fait belle dépense (*XVIe*). — **Qc** L'argent n'entre pas [rentre pas] par la porte mais sort par les fenêtres. — **Ang.** Money calls but does not stay, it is round and rolls away.

L'ARGENT A LA QUEUE LISSE. — Fr. Qui en veut [qui n'en a pas] en cherche. — **Qc** L'argent [ça] ne tombe pas du ciel.

L'ARGENT N'A PAS D'ODEUR (*r. xixe*). — *Du latin:* Pecunia non olet. *En usage au Québec.* — **Qc** L'or n'a pas d'odeur. — **Ang.** Money has no smell ♦ Where there's muck, there's money (*approximatif*).

L'ARGENT NE FAIT PAS LE BONHEUR (MAIS IL Y CONTRIBUE). — Qc L'argent ne fait pas le bonheur [mais contribue à la bonne humeur, mais ça ne fait pas le malheur (non plus), etc.]. — **Ang.** Great wealth and content seldom live together ♦ Wealth rarely brings happiness.

L'ARGENT NE SENT PAS MAUVAIS (*vieilli*). — *En usage au Québec.* — **Fr.** L'argent n'a pas d'odeur (*r. xixe*) (*du latin:* Pecunia non olet). — **Qc** L'argent fait [bien] le bonheur. — **Ang.** Money is welcome though it comes in a dirty clout.

LA SANTÉ SANS ARGENT EST MOITIÉ MALADIE — *Guyenne, Provence.* **— Fr.** Si plaie du corps peut se cicatriser avec le temps, plaie d'argent dure toujours (Normandie). **— Qc** Santé passe, richesse reste.

PAS D'ARGENT, PAS DE SUISSE. — Fr. Point d'argent, point de valet (*Suisse*) (*xive*). **— Qc** *No money no candy.* **— Ang.** No money no piper ♦ No song, no supper ♦ No bees, no honey, no work, no money ♦ No pay, no paternoster (*Écosse*). No money, no candy ♦ No tickee, no washee (*É.-U.*).

PLAIE D'ARGENT N'EST PAS MORTELLE. — Qc Perte d'argent n'est pas mortelle.

QUI A ARGENT, IL FAIT CE QU'IL VEUT. — Fr. L'argent ouvre toutes les portes ♦ L'argent est le maître du monde ♦ Monnaie fait tout (*xvie*) ♦ Amour peut moult, argent peut tout (*xvie*) ♦ Argent ard gent (*xve*) ♦ Il n'est chose qu'argent ne face (*xive*) ♦ Toutes choses obéissent à l'argent (*xive*) ♦ Argens fait le jeu (*xive*). **— Qc** L'argent contrôle le pays. **— Ang.** Money will do anything ♦ Money is ace of trumps ♦ Money makes the mare to go ♦ With silver weapons, you may conquer the world ♦ With latin, a horse and money, you will pass through the world ♦ Money talks (*É.-U.*).

ARGENT COMPTANT

ARGENT COMPTANT REND L'HOMME CONTENT [PORTE MÉDECINE]. — Qc L'argent fait bien le bonheur. **— Fr.** Argent compte pour médecine (*Limousin, Provence*). **— Ang.** Ready money is a ready medicine.

BANQUET

APRÈS GRAND BANQUET, PETIT PAIN. — Fr. Après blanc pain, le bis ou la faim (*r. xvie*) ◆ Manger son pain blanc le premier (*loc. prov., d. xvie*) ◆ Après gras jours viennent brandons (*xve*). **— Qc** Si tu manges ton pain blanc en premier, tu manges ton pain noir plus tard. **— Ang.** Stuff today and starve tomorrow.

CAPITAL

QUI MANGE SON CAPITAL PREND LE CHEMIN DE L'HÔPITAL (*Auvergne*). **— Fr.** Manger son blé en herbe [Manger son blé vert] (*loc. prov.*). **— Qc** Celui qui jette son pain en riant le ramasse plus tard en pleurant. **— Ang.** Wasteful want makes wasteful woe.

CHIENS

ON N'ATTACHE PAS LES [SES] CHIENS AVEC DES [AVEC LES] SAUCISSES. — Fr. Ne pas attacher ses chiens avec des saucisses (*loc. prov.*). **— Qc** On n'attache pas son chien avec des saucisses. **— Ang.** As long as a dog [a cat] would be bound with a blood pudding (*loc. prov.*) ◆ To have fish-hooks in one's pocket (*loc. prov.*) (*É.-U.*).

IL FAUT AVOIR PLUSIEURS CORDES À SON ARC. – Fr.
La corde à trois fils ne se rompt pas facilement ♦ Un
renard qui n'a qu'un trou est bientôt pris ♦ Avoir deux
[plusieurs] cordes à son arc (*loc. prov., d. XIIIᵉ*). **– Qc** Il
faut toujours avoir deux cordes à son arc. **– Ang.** Have
two strings to your bow ♦ It's good to [One should]
have more than one string to one's bow ♦ A threefold
cord is not quickly broken.

CORINTHE

IL N'EST PAS DONNÉ À TOUS D'ALLER À CORINTHE
(*vieilli*). – *Du latin:* Non homini cuivis contingit adire
Corinthum. **– Qc** On ne peut pas tous être beaux et
savoir téléphoner (et être chanceux).

DÉPENSE

**QUI DÉPENSE ET NE COMPTE PAS MANGE SON BIEN
ET NE LE GOÛTE PAS. – Fr.** Qui mange son capital
prend le chemin de l'hôpital (*Auvergne, Provence*) ♦
Manger son blé en herbe [son blé vert] (*loc. prov.*). **–
Qc** Celui qui mange son bien en harbe [herbe] à la fin
mange de la marde. **– Ang.** Don't eat the calf in the
cow's belly.

DETTE

DETTE DE JEU, DETTE D'HONNEUR. – *En usage au Québec.* **– Fr.** Homme d'honneur n'a que sa parole ♦
Chose promise, chose due. **– Ang.** Gaming debt is a

debt of honour ♦ My word is my bond ♦ A promise is a debt.

DETTES

QUI PAIE SES DETTES S'ENRICHIT. — *En usage au Québec.* — **Fr.** Qui doit n'a rien à soi; Cent soucis ne paient pas une dette ♦ Paie tes dettes, tu guériras ton mal (*Provence*) ♦ Qui paye sa dette fait grand acqueste (*vieilli*) ♦ Qui paie sa dette fait grand acquêt (*xvi*). — **Qc** Qui [Celui qui] paie ses dettes s'enrichit. — **Ang.** He that gets out of debt grows rich ♦ Out of debt, out of danger.

DÎNER

QUI GARDE DE SON DÎNER, IL A MIEUX À SOUPER *(EN ÉCONOMISANT SES RESSOURCES, ON EN A DAVANTAGE POUR PLUS TARD)* — Qc On ne dîne point quand on est de noces le soir. — **Ang.** Of sparing comes having.

EAU

L'EAU VA TOUJOURS À LA RIVIÈRE. — **Fr.** La pierre va toujours au tas ♦ Qui chapon mange, chapon lui vient (*vieilli*) ♦ Porter de l'eau à la rivière (*loc. prov.*) ♦ Les rivières retournent en la mer (*xv*). — **Qc** L'eau [qui] va à la rivière. — **Ang.** Much will have more ♦ Money begets [makes] money.

IL VAUT MIEUX FAIRE ENVIE QUE PITIÉ. — Fr. Vaut mieux être envié qu'apitoyé (*XVI*ᵉ) ◆ Mieux vaut envie que pitié (*XV*ᵉ). **— Qc** Vaut mieux faire envie que faire pitié. **— Ang.** Better be envied than pitied.

LA FAIM CHASSE [FAIT SORTIR] LE LOUP [HORS] DU BOIS. — Fr. Nécessité faict gens mesprendre E faim sillir le loup des bois (Moncorbier *alias* François Villon, *XV*ᵉ) ◆ C'est une mauvaise morsure de mouche maigre (*XV*ᵉ) ◆ Besoin fait faire mainte chose (*XIV*ᵉ) ◆ Besoin fait vieille trotter (*XIV*ᵉ). **— Qc** La faim fait sortir le loup du bois ◆ Au printemps, tous les loups sont maigres. **— Ang.** Necessity knows no law ◆ Hunger breaks [will break through] stone walls ◆ Hunger fetches the wolf out of the woods ◆ Hunger and cold deliver a man up to his enemy.

Sagesse / bêtise

ÂNE

QUAND UN ÂNE VA BIEN, IL VA SUR LA GLACE ET SE CASSE UNE PATTE. — Fr. L'homme conteint i est coér à naît' (*Picardie [Berck]*) ♦ Quand on est bien, on ne s'y fait tenir (*XVIe*). — **Qc** Quand on est heureux, on fait tout pour être malheureux.

ANGE

QUI VEUT FAIRE [QUI FAIT] L'ANGE FAIT LA BÊTE. — Fr. Qui est âne et veut être cerf se connaît au saut du fossé (*XIXe*). — **Qc** L'esprit qu'on veut gâte celui qu'on a.

AVIS

IL N'Y A QUE LES FOUS [QUE LES IMBÉCILES, QUE LES SOTS] QUI NE CHANGENT PAS [POUR NE JAMAIS CHANGER] D'AVIS. — Qc Il n'y a que [Il y a juste] les fous qui ne changent pas d'idée. — **Ang.** The foolish and the dead alone never change their [Only fools never change] opinion ♦ Foolish consistency is the hobgoblin of small minds (*É.-U.*).

QUAND ON EST BÊTE, C'EST POUR LONGTEMPS... [ET QUAND ON EST FOU, C'EST POUR TOUJOURS]. — **Fr.** Quand on naît bête, on n'en guérit jamais (*Languedoc*) ◆ Qui est fou en naissant jamais ne guérit (*Gascogne, Guyenne, Languedoc*) ◆ Celui qui est fou de nature, plaignez-le car jamais il ne guérit (*Gascogne*). — **Qc** Quand on est veau, c'est pour un temps; quand on est bête, c'est pour tout le temps. — **Ang.** Fools are born, not made ◆ Who is born a fool is never cured ◆ No art can make a fool wise.

LA CRAINTE DE DIEU EST LE COMMENCEMENT DE LA SAGESSE. — *D'après les* Psaumes. — **Fr.** La crainte [la peur] du gendarme est le commencement de la sagesse (*r. XVIIIe*) ◆ La peur [doubtance] de Dieu est le commencement de sapience (*XIVe*). — **Qc** La crainte [du Seigneur] est le commencement de la sagesse. — **Ang.** Fear [The fear] of the Lord is the beginning of wisdom ◆ When it thunders, the thief becomes honest.

IL VAUT MIEUX SE DÉDIRE QUE [DE] SE DÉTRUIRE. — **Fr.** Il n'y a que l'homme absurde qui ne change jamais ◆ Amendement n'est pas pescher (*XVe*). — **Qc** Vaut mieux se tromper que de s'étrangler. — **Ang.** A wise man changes his mind, a fool never ◆ None but a fool is always right.

EXPÉRIENCE

EXPÉRIENCE EST MÈRE DE SCIENCE. — *Du latin:* Experientia est magistra rerum. — **Fr.** Usage rend maître (*xve*) ♦ À le prendre est la maîtrise (*xive*). — **Qc** Expérience passe science. — **Ang.** Experience is the mother of knowledge ♦ An ounce of common sense is worth a pound of theory ♦ By dint of doing blacksmith's work, one becomes blacksmith ♦ Practice makes perfect.

FOLLE DEMANDE

À FOLLE DEMANDE, POINT DE RÉPONSE. — **Fr.** À sotte demande, il ne faut pas de réponse (*r. xvie*). — **Qc** À sotte question, pas de réponse. — **Ang.** For mad words, deaf ears ♦ A stupid question deserves no answer ♦ When the demand is a jest, the fittest answer is a scoff.

FOUS

LE NOM DES FOUS SE TROUVE PARTOUT. — **Qc** Le nom des fous est écrit partout, le nom des fins est écrit sans fin. — **Ang.** White walls are fools' writing papers.

PLUS ON EST DE FOUS, PLUS ON RIT (*r. xviiie*). — **Qc** Plus on est [il y a] de fous, plus on a [il y a] de *fun* [*angl.: plaisir*] [plus on s'amuse]. — **Ang.** The more the merrier.

TOUS LES FOUS NE SONT PAS AUX PETITES MAISONS. — **Qc** Il y a plus de fous en liberté qu'enfermés ♦ Les fous ne sont pas tous dans les asiles [à l'asile]. — **Ang.** If all fools wore white caps, we should seem a flock (of geese).

GRANDS ESPRITS

LES GRANDS ESPRITS [LES BEAUX ESPRITS] SE REN-CONTRENT... [ET LES PETITS SE LE DISENT]. — Qc Les grands esprits se rencontrent. **— Ang.** Great wits jump together ♦ Great minds think alike [agree].

IGNORANCE

IGNORANCE NE RECHERCHE POINT PRUDENCE. — Fr. Quand on est bête, c'est pour longtemps... [et quand on est fou, c'est pour toujours]. **— Qc** L'ignorance, c'est comme la science, ça n'a pas de borne. **— Ang.** Fools are born, not made ♦ Who is born a fool is never cured ♦ No art can make a fool wise.

IVRE

IL N'EST PAS À SOI QUI EST IVRE. — Qc Quand les cochons sont soûls, ils fouillent dans l'auge.

JEAN BÊTE

QUAND JEAN BÊTE EST MORT, IL A LAISSÉ BIEN DES HÉRITIERS. — Fr. Qui n'a pas de tête n'a que faire de bonnet. **— Qc** Les cornichons ne sont pas tous dans les pots [bocaux] ♦ Les nouilles ne sont pas toutes dans la soupe ♦ Pogné (*poigné*) hier, pogné aujourd'hui, pogné demain. **— Ang.** No art can make a fool wise.

CHAQUE FOU A SA MAROTTE. — Qc Chacun [Tout le monde] fait à sa tête. **— Ang.** Every fool has his cap ♦ Every man has his hobby-horse.

HEUREUX LES PAUVRES D'ESPRIT. — *D'après la formule biblique bien connue: «Bienheureux les pauvres d'esprit car le royaume des cieux...»* (Matthieu, 5,3). **— Fr.** Aux innocents, les mains pleines ♦ La fortune favorise les sots [du latin: *Fortuna favet fatuis*] ♦ Dieu aide à trois sortes de personnes, aux fous, aux enfants et aux ivrognes. **— Qc** Heureux les creux... [(car) le royaume des cieux est à eux]. **— Ang.** Blessed are the poor in spirit; Fools have all the luck.

LE VIN ENTRE ET LA RAISON SORT (*r. xix*ᵉ). — *Péjoratif.* — **Qc** Ça ne se soûle pas un cochon.

IL EST DES SOTS DE TOUS PAYS. — Fr. Qui n'a pas de tête n'a que faire de bonnet. **— Qc** Les caves ne sont pas toutes en dessous des maisons ♦ Les bébés ne sont pas tous dans les carrosses (dans les poussettes).

À SOTTE QUESTION, POINT DE RÉPONSE. — Qc
J'm'appelle Patof p'is j'vole. **— Ang.** For mad words,
deaf ears.

**LE TEMPS BLANCHIT LES TÊTES SANS MÛRIR LA RAI-
SON. — Fr.** Les années font des vieux, pas forcément
des sages ♦ On fait des folies à tout âge ♦ Plus les
ânes sont vieux, plus ils sont sots (*Auvergne*) ♦ L'intel-
ligence et l'âge ne viennent pas ensemble (*Bretagne,
Gascogne*) ♦ L'âge n'apporte pas la science (*Bretagne*)
♦ Vieillesse n'est pas toujours sagesse (*Aunis, Franche-
Comté*) ♦ Si la barbe blanche faisait les sages, les chè-
vres devraient l'être (*Provence*) ♦ La barbe bien souvent arrive avant le bon sens (*Provence*). **— Qc** Le
temps, ça ne fait pas des sages, que des vieillards. **—
Ang.** The head grey and no brains yet ♦ No one is old
enough to know better ♦ The brains don't lie in the
beard.

LE VENTRE EMPORTE LA TÊTE. — Fr. Il est mon oncle qui
le ventre me comble. **— Qc** On prend les hommes par
le ventre. **— Ang.** He loves me well that makes my
belly swell.

Santé / maladie

CŒUR

ON A L'ÂGE DE SON CŒUR. — Qc On a l'âge de ses artères. **— Ang.** A man is as old as he feels himself to be.

GUÉRIT

CE QUI GUÉRIT L'UN TUE L'AUTRE. — *Du latin:* Lucrum unius est alterius damnum. **— Qc** Ce qui est bon pour pitou n'est pas bon pour minou. **— Ang.** One man's meat is another man's poison.

SANTÉ

SANTÉ PASSE RICHESSE. — *En usage au Québec. Du latin:* Sani divitibus ditiores. **— Fr.** Il n'est trésor que de santé ♦ Qui n'a santé [il] n'a rien, qui a santé [il] a tout (*r. xvie*) ♦ Celui qui a la santé est riche ♦ Santé vaut mieux que richesse (*Guyenne*) ♦ Il vaut mieux n'avoir que ses deux bras et la santé que la richesse et la maladie (*Guyenne*) ♦ Qui a la santé n'est point pauvre ♦ Qui a la santé peut gagner sa vie (*Gascogne*) ♦ C'est une belle baronnie que santé (*vieilli*). **— Ang.** Good health is above wealth ♦ Health before [Health is better than] wealth.

LÀ OÙ ENTRE LE SOLEIL, LE MÉDECIN N'ENTRE PAS
(*Normandie*). **— Fr.** Où le soleil luit, la lune n'y a [n'a] que faire ♦ Où le soleil pénètre, il y a santé (*Gascogne*) ♦ Où le soleil n'entre pas entre le médecin (*Alsace, Languedoc, Val d'Aoste*). **— Qc** Où le soleil entre, le médecin n'entre pas. **— Ang.** The moon's not seen where the sun shines.

Semblable / dissemblable

CHACUNE

À CHACUN [CHACUN AVEC] SA CHACUNE. — Fr. À chaque pot son couvercle ♦ Il n'est si bossu qui ne treuve sa bossue (*xvᵉ*) ♦ Chacun à sa chacune (*xivᵉ*). **— Qc** Un gouin finit par trouver sa gouine. **— Ang.** Every Jack has [had] his Jill.

COMPARAISON

COMPARAISON N'EST PAS RAISON. — *D'après le latin:* Omne simile claudicat. **— Fr.** Comparaisons sont hayneuses [odieuses] (*xivᵉ*). **— Qc** Quand je me compare je me désole, quand je me regarde je me console ♦ Quand je me regarde je me désole, quand je me compare, je me console. **— Ang.** Comparisons are odious.

COUVERCLE

IL N'EST SI MÉCHANT [PETIT] POT QUI NE TROUVE SON COUVERCLE. — Fr. À chaque pot son couvercle ♦ Un torchon trouve toujours sa guenille. **— Qc** Un voyou trouve toujours sa voyelle ♦ À chaque [Un, Il n'y a pas de (un)] torchon [qui ne trouve (rencontre) pas, trouve toujours] sa guenille. **— Ang.** For every Jack, there is somewhere a Jill.

IL N'Y A PAS DE GRENOUILLE QUI NE TROUVE SON CRAPAUD. — Fr. À chacun sa chacune ♦ Il n'y a si méchante marmite qui ne trouve son couvercle (*XVIIᵉ*). **— Qc** Chaque [Il n'y a pas de] chaudron trouve [qui ne trouve pas] son couvert (couvercle) [son torchon, une cheville, un trou, sa chaudronne]. **— Ang.** Every [For every] Jack has his [there is somewhere a] Jill.

NOUS SOMMES TOUS ÉGAUX DEVANT DIEU. — Qc On est tous sorti du même trou. **— Ang.** All men are equal in the eyes of the Lord.

LES JOURS [LES HEURES] SE SUIVENT ET NE SE RESSEMBLENT PAS. — Qc Les jours se suivent mais ne se ressemblent pas. **— Ang.** No two days are alike ♦ What doesn't happen one day may happen another.

PLUS ÇA CHANGE, PLUS C'EST LA MÊME CHOSE. — Fr.
Qui plus change, plus s'empire [*xIVᵉ*]. **— Qc** Plus ça
change, plus c'est pareil. **— Ang.** The more you change
them, the more they remain the same ◆ The old wine
in a new bottle.

MORDU

**AUTANT VAUT ÊTRE MORDU D'UN CHIEN QUE D'UNE
CHIENNE. — Fr.** Pâtir quand on n'n'a, pâtir quand on
n'n'a point, ch'est toujours pâtir (*Picardie [Berck]*) ◆
Autant pleure mal batu que bien batu (vieilli). **— Qc**
Mordure [morsure] d'un chien ou mordure d'une
chienne, c'est la même mordure. **— Ang.** As well be
hanged for a sheep as a lamb ◆ In for a penny, in for
a pound ◆ As good eat the devil as the broth he is
boiled in.

RESSEMBLE

QUI SE RESSEMBLE S'ASSEMBLE. — Qc Qui s'assemble
se ressemble; Ceux qui se ressemblent s'assemblent. **—
Ang.** Birds of a feather flock together ◆ Like loves like.

TORCHONS

IL NE FAUT PAS MÊLER [IL NE FAUT PAS MÉLANGER] LES TORCHONS ET LES SERVIETTES. — Fr. Il ne faut pas mélanger les serviettes avec les torchons (*pays nantais*). **— Qc** Faut pas mélanger les guenilles et les torchons [les torchons et les serviettes (les guenilles)]. **— Ang.** Separate the sheep from the goats ♦ To set all at sixes and sevens (*loc. prov.*).

Soi / autrui

AIGUILLE

L'AIGUILLE HABILLE TOUT LE MONDE MAIS DEMEURE NUE. — Fr. Les cordonniers sont (toujours) les plus mal chaussés (*r. XVIe*). **— Qc** Ce sont toujours les couturières qui sont [toujours] les plus mal habillées. **— Ang.** None worse shod than the shoemaker's wife ◆ A shoemaker's wife and a smith's mare are always the worst shod ◆ The tailor's wife is worst clad ◆ The cobbler's wife is the worst shod ◆ Who goes the worst shod? The cobbler's wife (*É.-U.*).

AUTRUI

QUI S'ATTEND À L'ÉCUELLE D'AUTRUI A SOUVENT MAUVAIS DÎNER [A SOUVENT MAL DÎNÉ, DÎNE PAR CŒUR PLUS D'UN MIDI]. — Qc Lorsqu'on attend après son voisin pour dîner, on dîne bien tard. **— Ang.** Who depends [He that waits] upon another man's table [upon another man's (for another's) trencher, on another] often dines late [makes many a little (eats many a late) dinner, dines ill and sups worse].

BÂT

NUL NE SAIT MIEUX QUE L'ÂNE [IL N'Y A QUE L'ÂNE QUI SENT] OÙ LE BÂT [LE] BLESSE. — Fr. Chacun sait où son soulier le blesse (*r. XVIIe*) ◆ Chacun sent où cela lui démange (*Aunis, Franche-Comté*) ◆ À chaque mercier son pannier (*xv*ᵉ). Chaque bœuf connaît son piquet (*Martinique*). — **Qc** Chacun sent son mal. — **Ang.** Everyone knows best [No one but the wearer (The wearer best) knows] where the shoe pinches [him].

CHACUN

CHACUN FAIT COMME IL L'ENTEND. — **Qc** Il y a plus d'une façon d'étrangler un chat. — **Ang.** Everyone after his fashion ◆ There's more than one way to skin a cat (*É.-U.*).

CHAIR

MA CHAIR M'EST PLUS PRÈS QUE MA CHEMISE. — **Fr.** Ma peau m'est plus proche que ma chemise ◆ La chemise est plus proche que le pourpoint (*du latin:* Tunica propior pallio est). — **Qc** Me, myself and I. — **Ang.** Close sits [Near is] my shirt [Near is my coat] but closer [but nearer is] my skin ◆ Me, myself and I (*É.-U.*).

CHARITÉ

CHARITÉ BIEN ORDONNÉE COMMENCE PAR SOI-MÊME (*r. xiv*ᵉ). — *Du latin médiéval:* Prima caritas incipit a seipso. *En usage au Québec.* — **Fr.** On veut son bien avant de vouloir celui d'autrui (*d'après le latin:* Omnes sibi melius esse malunt quam alteri) ◆ J'aime mieux un raisin pour moi que deux figues pour toi ◆ On fait mal nourrir autruy enfant, car il s'en va quant il est grant (*vieilli*) ◆ Qui mieux aime autruy que soy, au moulin il meurt de soyf (*XVIᵉ*). — **Ang.** Every cock scratches toward himself ♦ Charity begins at home [and justice next door].

CHEMISE

LA CHEMISE EST PLUS PROCHE QUE LE POURPOINT. —
Fr. Ma [La] peau m'est plus proche que ma [que la] chemise (*du latin:* Tunica propior pallio est) ♦ S'kemise est pus près qu'sin gartiu (*Picardie*) ♦ La pet toco mès que la camiso (*Languedoc, XVIIIᵉ*). — **Qc** On est plus réduit à sa peau qu'à sa chemise. — **Ang.** Near is my coat [my shirt] but nearer is my skin.

COCHONS

EST-CE QUE NOUS AVONS GARDÉ LES COCHONS EN-
SEMBLE? — Fr. Nos chiens ne chassent pas ensemble ♦ Nous ne mangeons pas du même pain ♦ Il semble que nous ayons gardé les cochons ensemble (*Diction-naire de l'Académie, XIXᵉ*). — **Qc** On n'a jamais [On n'a

pas] gardé les cochons ensemble. **— Ang.** We're not the same party ♦ Not [to be] of the same feather (*loc. prov.*).

COMPTES

LES BONS COMPTES FONT LES BONS AMIS (*r. xixe*). — *Du latin:* Clara pacta, amicitia longa. *En usage au Québec.* **— Ang.** Short reckonings make long friends ♦ Even reckoning makes [Even reckonings keep] long friends.

CORDONNIERS

LES CORDONNIERS SONT [TOUJOURS] LES PLUS [IL N'Y A QUE LES CORDONNIERS DE] MAL CHAUSSÉS (*r. xviie*). **— Fr.** L'aiguille habille tout le monde mais demeure nue. **— Qc** Faut être cordonnier pour être mal chaussé ♦ Faut être, [Il n'y a rien comme d'être] la femme du cordonnier est toujours [pour être] mal chaussée. **— Ang.** A shoemaker's wife and a smith's mare are always the worst shod ♦ In the house of the blacksmith, wooden knives ♦ The tailor's wife is worst clad ♦ Who goes the worst shod? The cobbler's wife (*É.-U.*).

CUL MERDEUX

QUI SE SENT LE CUL MERDEUX, QU'IL SE TORCHE. — Fr. Qui se sent galeux se gratte ♦ Qui se sent morveux se mouche (*r. xvie*) ♦ Qui se sent morveux, si se mouche (*xve*) ♦ Qui se sent crotté, si se frotte (*xve*). **— Qc** Que celui qui se sent morveux se mouche. **— Ang.** If the cap fits [you], wear it ♦ If the shoe fits, wear it (*É.-U.*).

DÉFAUTS

CHACUN A SES DÉFAUTS. — *Du latin:* Nemo sine firmat regulam. — **Fr.** Personne n'est parfait. — **Qc** Chacun ses qualités, chacun ses défauts. — **Ang.** Every man has his faults.

DEUX YEUX

DEUX YEUX VOIENT PLUS CLAIR QU'UN SEUL. — Fr. La [Toute] sagesse n'est pas enfermée dans une tête ♦ Deux avis [sens] valent mieux qu'un (*xive*) ♦ Deux [Trois, Quatre] font plus que ung (*xive*). — **Qc** Il y a plus [d'esprit] dans deux têtes que dans [Deux têtes valent mieux qu']une. — **Ang.** Two heads are better than one... [quoth the woman when she had her dog with her at the market] ♦ Four eyes see more than two ♦ Two eyes see more than one ♦ Two wits are better than one.

DÛ

CHACUN [À CHACUN] SON DÛ. — *En usage au Québec.* — **Fr.** À chacun selon ses œuvres ♦ Selon le bras la saignée ♦ À chaque saint son offrande. — **Ang.** Give every man his due.

EAU

CHACUN TIRE [FAIT VENIR] L'EAU À SON MOULIN. — Fr. Tirer la couverture à soi (*loc. prov.*). — **Qc** Chacun tire la couverte (*couverture*) de son bord. — **Ang.** Every miller draws [Every man wishes the] water to his own mill ◆ Number one first ◆ To hog the spotlight (*loc. prov.*) (*É.-U.*).

FRÉQUENTES

DIS-MOI QUI TU FRÉQUENTES [DIS-MOI QUI TU HAN-TES], [ET] JE TE DIRAI QUI TU ES. — *En usage au Québec.* — **Fr.** Tu deviendras comme est celui que tu hanteras (*XIVᵉ*). — **Ang.** A man is known by the company he keeps ◆ Tell me with whom thou goest and I'll tell thee what thou doest (*vieilli*).

FROTTE

QUI S'Y FROTTE S'Y PIQUE. — *En usage au Québec.* — **Ang.** Touch me who dares ◆ Meddle and smart for it.

GOÛT

CHACUN [À CHACUN (SELON)] SON GOÛT. — **Fr.** Chaque renard porte sa queue à sa manière ◆ Des goûts et des couleurs... [on ne discute pas, il ne faut pas discuter] [Les goûts et les couleurs ne se discutent pas] (*du latin:* De gustibus et coloribus non est disputandum) ◆ Il ne faut pas disputer des goûts (*du latin:* De gustibus non est disputandum) ◆ Chaque chien lèche sa queue selon son goût (*Martinique*). — **Qc** Chacun son goût ◆ Tous les goûts sont dans la nature ◆ Les goûts ne sont pas à discuter. — **Ang.** Everyone to his taste ◆ There is [There's] no accounting for [There's no disputing of] taste[s] ◆ Tastes differ.

IL Y EN A [IL EN FAUT] POUR TOUS LES GOÛTS. – Qc
Il en faut [il y en a] de [pour] tous les genres ♦ Ça
prend [Il faut] toutes sortes de monde [Il faut de tout]
pour faire un monde. **– Ang.** Every blade of grass has
its own drop of dew.

**LES MONTAGNES NE SE RENCONTRENT PAS, MAIS LES
HOMMES.** – *Du latin:* Occurrunt homines, nequeunt
occurrere montes. **– Fr.** Il n'y a que les montagnes qui
ne se rencontrent jamais ♦ Deux montagnes ne se
rencontrent jamais (*du latin:* Nunquam duo concurrunt
montes) ♦ Les hommes se rencontrent et les montagnes non (*XVIe*) ♦ Deux hommes se rencontrent mais
jamais deux montagnes (*XVIe*). **– Qc** Deux montagnes
ne se rencontrent pas, mais deux hommes se rencontrent. **– Ang.** Friends may meet but mountains never
greet.

QUI SE LOUE S'EMBOUE (*r. XIVe*). – *D'après le latin:* Non
te laudabis: propria laus fœtet in ore. **– Qc** Qui se
vante s'évente ♦ Toutes marchandises vantées perdent
leur prix. **– Ang.** He that praiseth himself spattereth
himself (*vieilli*) ♦ Self-praise come eye stinking ben
(*Écosse*).

QUAND ON HABITE UNE [QUI A SA] MAISON DE VERRE, IL NE FAUT PAS LANCER DES PIERRES [SUR LE VOISIN NE TIRE PIERRE]. — Fr. Qui veut aller les pieds nuds ne doit semer des espines (*vieilli*). **— Qc** Qui a un toit de verre ne tire pas de pierres chez son voisin. **— Ang.** Whose house [Whose head] is of glass [Those who live, Those people who live, Who live in glass houses] must not throw stones [at another] (*cité particulièrement par George Herbert [1539-1633] et Chaucer [*Troïlus and Cressida*], XIVe*) ♦ Who has [Those who have] glass windows must take heed how he throws [should not set the fashion of flinging] stones ♦ Barefooted folk shouldna tread on thorns (*Écosse*) ♦ People who live in glass houses shouldn't (should never) throw stones (*É.-U.*).

À DURE ENCLUME, MARTEAU DE PLUME (*r. XIXe*). **— Fr.** Il n'y a pas à rire pour tout le monde (*XVIIe*). **— Qc** Quand [si] on ne vaut pas une risée, on ne vaut pas grand-chose.

CHACUN SON MÉTIER, LES VACHES SERONT BIEN GARDÉES. — *Notamment, d'après Florian,* Fables, *d. XIVe*). *En usage au Québec.* **— Fr.** Cordonnier, borne-toi à la [ta] chaussure (*du latin:* Ne sutor supra crepidam) ♦ Il faut vivre [Il faut se mêler] de son métier. **— Ang.** Let the cobbler stick to [Every cobbler must (should) stick to aspire above] his last ♦ Let not the cobbler go beyond his last ♦ Let every man mind his own business ♦ Every man to his business [to his craft, to his job, to his trade].

MOISSON D'AUTRUI

MOISSON D'AUTRUI PLUS BELLE QUE LA SIENNE. — Qc
Le champ du voisin paraît toujours plus beau.

MONDE

LE MONDE EST PETIT. — *En usage au Québec.* — **Fr.** Il n'y a que les montagnes qui ne se rencontrent pas. — **Ang.** It's a small world ♦ Small world (*É.-U.*).

MONTAGNE

LA MONTAGNE N'ALLAIT PAS À MAHOMET, MAHO- MET ALLA À LA MONTAGNE. — Qc Si la montagne [ne] vient pas à toi, va à la montagne. — **Ang.** If the mountain will not go to Mahomet, let Mahomet go to the mountain ♦ It's Mahomet coming to the mountain (*loc. prov.*).

MORVEUX

LES MORVEUX VEULENT TOUJOURS MOUCHER LES AUTRES. — Qc C'est pas en noircissant les autres qu'on se blanchit (*approximatif*).

MURS

LES MURS ONT DES OREILLES. — *En usage au Québec.* — **Fr.** Les haies ont des yeux [des oreilles] ♦ Un mot dit à l'oreille est entendu de loin ♦ Petit chaudron, grandes oreilles. — **Qc** Les roches parlent. — **Ang.** Walls have ears.

NEZ

NE FOURREZ PAS VOTRE NEZ DANS LES SOUPES D'AUTRUI. — **Qc** Le nez le plus long n'est pas toujours le meilleur senteur. — **Ang.** Ask no questions and you'll be told no lies ♦ Scald not your lips in another man's pottage (*É.-U.*).

NID

À CHAQUE OISEAU SON NID EST [SON NID PARAÎT] BEAU. — *Du latin:* Sua cuique patria iucundissima. — **Fr.** Chaque prêtre loue [fait l'éloge de] ses reliques (*r. xve*) ♦ À chacun oisel son ni li est bel (*vieilli*) ♦ Chacun potier loue ses pots et davantage les cassez et rots (*vieilli*) ♦ Chascun prêtre loue ses reliques (*xve*) ♦ Chascun mercier annonce sa denrée (*xve*) ♦ À chascun oisel son nid li est bel (*xive*) ♦ À chacun oiseau son nid semble beau (*xiiie*). — **Qc** Chaque oiseau trouve son nid beau. — **Ang.** Every bird likes his own nest best.

ŒUVRE

CHACUN LOUE SON ŒUVRE. — Fr. Chacun aime le sien ♦ Chacun prêche pour sa paroisse (*en usage au Québec*) ♦ Chacun prêche pour son saint. **— Qc** On liche [lèche] toujours son veau. **— Ang.** Every man likes his own things best ♦ Every cook praises his own broth.

ŒUVRES

À CHACUN SELON SES ŒUVRES. — Qc On n'entre pas au ciel avec l'épingle d'un autre. **— Ang.** Render to everyone what is his due.

PAILLE

LA [C'EST LA] PAILLE ET LA POUTRE… — Fr. Il voit une paille qui est dans l'œil de son prochain [On voit la paille dans l'œil du voisin] et il [et on] ne voit pas la poutre [qui est] dans le sien (*d'après Luc, 6,41 et Matthieu, 7,3*) ♦ Le bossu ne voit pas sa bosse mais il voit celle de son voisin [et voit celle de son confrère] ♦ Tel voit en l'œil d'autruy bûchette qui au sien ne voit pas ung tra (*XVIe*). **— Qc** On voit la paille dans l'œil du voisin mais pas le madrier dans le nôtre ♦ On [ne] sent pas sa marde. **— Ang.** It's the pot calling [The pot calls] the kettle black; The hunchback does not see his own hump.

CHACUN PRÊCHE POUR SA PAROISSE. — *En usage au Québec.* — **Fr.** Chaque prêtre loue ses reliques (*r. xvᵉ*) ♦ Chaque oiseau trouve son nid beau ♦ Chacun tire à son profit ♦ Chacun prêche pour son saint ♦ Chacun potier loue ses pots et davantage les cassez et rots (*vieilli*) ♦ Chacun cuy de avoir la meilleure femme (*xvɪᵉ*) ♦ Chascun mercier annonce sa denrée (*xvᵉ*) ♦ Chacun tire à son profit (*xvᵉ*) ♦ Chaque amant a la plus belle dame du monde (*xɪvᵉ*). — **Qc** On prêche pour sa paroisse. — **Ang.** Every cock scratches toward himself.

LA PELLE SE MOQUE DU FOURGON (*r. xɪvᵉ*). — **Fr.** Un âne appelle l'autre rogneux (*du latin:* Asinum asellus culpat) ♦ Le four appelle le moulin brûlé (*xvɪᵉ*) ♦ L'une moitié du monde ne scet point comment l'autre se gouverne (*xvᵉ*). — **Qc** Une [La] moitié du monde rit [se moque] de l'autre moitié. — **Ang.** It's the pot calling the kettle black ♦ Thou art a bitter bird, said the raven to the starling (*vieilli*).

CHACUN DOIT BALAYER DEVANT SA PORTE. — **Fr.** Que chacun balaie devant sa porte [et les rues seront nettes] ♦ Chacun son métier, les vaches seront bien gardées. — **Qc** Nettoie le devant de ta porte, [toute] la rue sera propre ♦ Si chacun nettoyait le devant de sa porte, toute la rue serait propre ♦ Si tu es propre, on le verra par le seuil de ta porte. — **Ang.** Sweep before your own door ♦ When everyone takes care of himself, care is taken of all ♦ If every man mend one, all shall be mended ♦ Every man to his business [To his craft, to his job, to his trade].

QUATRE YEUX

QUATRE YEUX VOIENT PLUS QUE DEUX. — *Du latin:* Plus vident oculi quam oculus. — **Fr.** Deux yeux [Plusieurs yeux] voient plus clair qu'un [qu'un seul] (*r. XVe*) ♦ Deux avis [Deux sens] valent mieux qu'un (*XIVe*) ♦ Deux [Trois, Quatre] font plus que ung (*XIVe*). — **Qc** Mieux voient quatre yeux que deux. — **Ang.** Two heads are better than one... [quoth the woman when she had her dog with her to the market] ♦ Two wits are better than one ♦ Two eyes see more than one ♦ Four eyes see more than two.

SIEN

À CHACUN LE SIEN (*r. XVIIIe*). — **Fr.** Cordonnier, borne-toi à ta chaussure ♦ À chacun le sien n'est pas trop. — **Qc** Chacun dans son verre. — **Ang.** Let not the cobbler go beyond his last ♦ Every man to his business [to his to his craft, to his job, to his trade] ♦ Keep your nose to yourself (*É.-U.*).

SOI

CHACUN POUR SOI... [ET DIEU POUR TOUS]. — **Fr.** Tout le monde tire à soi ♦ Chacun le sien, ce n'est pas trop (*cité par Molière,* Le malade imaginaire, *XVIIe*). — **Qc** Les Américains sont devenus riches à se mêler [en se

mêlant] de leurs affaires ◆ Chacun dans sa cour. **—
Ang.** Every man for himself [and God for us all, and
(the) devil take the hindmost] ◆ Every mouse in his
own house (*Nouvelle-Écosse, Canada*).

TOUT LE MONDE

LE SOLEIL LUIT POUR TOUT LE MONDE. — Qc Le soleil
reluit pour tout le monde. **— Ang.** The sun shines upon
all alike.

**ON NE SAURAIT [ON NE PEUT PAS] PLAIRE À [ON NE
PEUT CONTENTER] TOUT LE MONDE [ET SON
PÈRE].** *— D'après le latin:* Nemo omnibus placet. **— Fr.**
Est bien fou du cerveau qui prétend contenter tout le
monde et son père ◆ On n'est pas louis d'or pour plaire
à tout le monde ◆ C'est chose ardue et trop profonde
que d'agréer à tout le monde ◆ Qui cherche à plaire à
tous ne peut plaire à personne (*J.-B. Rousseau, xviie*) ◆
On ne peut contenter tout le monde et son père (*La
Fontaine, Fables, «Le meunier, son fils et l'âne»; Florian,
Fables; l'Arétin, xve*) ◆ Impossible est de bien complaire
à tous (*xve*) ◆ On ne peut être aimé de tous (*xive*). **—
Qc** On ne peut pas plaire à [On ne peut pas contenter]
tout le monde et à [et] son père [en même temps]. **—
Ang.** It is hard to please all [parties] ◆ You can't please
everyone ◆ One cannot please all the world and his
wife ◆ He had need rise betimes, who would please
everybody ◆ You cannot please everybody and your
wife too ◆ He that all men will please shall never find
ease (*É.-U.*).

L'UNION FAIT LA FORCE. — Qc L'union [Si l'union] fait la force, les coups [de poing] font [la force fait] les bosses [les bedeaux sonnent les cloches]. **— Ang.** There's safety in numbers ♦ Union [Unity, In union there] is strength ♦ United we stand, divided we fall.

VANTEZ-VOUS, VANTEZ-VOUS, IL EN RESTERA TOU-JOURS QUELQUE CHOSE. — Fr. Calomniez, [calomniez,] il en restera toujours quelque chose. **— Qc** Parlez-en en bien, parlez-en en mal mais parlez-en. **— Ang.** Plaster thick, some will stick ♦ Throw plenty of mud, some of it is [some will be] sure to [if you throw mud enough, some of it will] stick ♦ Throw plenty of dirt [Fling dirt enough], some of it is [some will be] sure to [some of it will, and some will] stick ♦ The dirt of a squid can be washed off, but the dirt of a tongue sticks and stays (*Terre-Neuve, Canada*).

Travail/paresse

AIDE-TOI

AIDE-TOI, LE CIEL T'AIDERA (*La Fontaine*, Fables). **— Fr.** À toile ourdie, Dieu envoie le fil ♦ Aide-toi, Dieu te aidera (*xvᵉ*) ♦ Si vous ne vous voulés aidier, nuls ne vous puet aydier (*xvᵉ*) ♦ Aidez-vous, Dieu vous aidera (*xivᵉ*) ♦ Fortune [Les dieux] aide[nt] aux hardis (*xivᵉ*). **— Qc** Aide-toi et le ciel t'aidera. **— Ang.** God helps those who help themselves ♦ God gives us hands but does not build bridges.

BÂILLEMENT

LE BÂILLEMENT NE PEUT MENTIR: IL DIT OU MANGER OU DORMIR. — Qc Qui bâille avant six heures se couche après minuit.

HEURE

CE N'EST PAS LE TOUT DE SE LEVER MATIN, IL FAUT ENCORE ARRIVER À L'HEURE. — Fr. Il faut battre le fer tandis qu'il est chaud ♦ Il faut puiser quand la corde est au puits ♦ Endementres que li fers est chauz le doit len batre (*vieilli*) ♦ Len batre le fer tandis cum il est chauz (*vieilli*) ♦ Battre le fer il faut, tandis qu'il est bien chaud (*vieilli*). **— Qc** Avant l'heure c'est pas l'heure, après l'heure c'est plus l'heure. **— Ang.** Make hay while the sun shines ♦ Strike the iron while it is hot ♦ Now is the time to make the move (*É.-U.*).

À QUI SE LÈVE MATIN, DIEU LUI PRÊTE LA MAIN. — Fr. Coucher de poule et lever de corbeau écartent l'homme du tombeau (*Franche-Comté*) ◆ Homme matineux, sain et besogneux (*Anjou*) ◆ Homme matineux, gai, sain et laborieux (*Val d'Aoste*) ◆ Couche-toi tôt et lève-toi matin (*Anjou, Corse*) ◆ Se lever de bon matin, se coucher de bonne heure, voilà la règle la meilleure pour conserver sa santé, son argent, sa fortune et son jugement (*Gascogne*) ◆ Lever matin et prendre esbatement, donner pour Dieu selon son aisement, fuir courroux, vivre joyeusement, entendre au sien et vivre sobrement, coucher en haut, dormir exaucement, loing de manger, soi tenir nettement, fait l'homme riche et vivre longuement (*vieilli*). **— Qc** Se coucher de bonne heure, se lever de bonne heure, amènent la santé, la richesse et le bonheur. **— Ang.** The morning hour has gold in its mouth ◆ Early to bed and early to rise makes a man healthy, wealthy and wise ◆ He that riseth late must trot all day (*Benjamin Franklin, É.-U.*).

MAUVAIS OUVRIER[S] NE TROUVE[NT] JAMAIS BON[S] OUTIL[S]. — Fr. Autant de trous autant de chevilles ◆ Maveis ovriers ne trovera ja bon ostil (*XIIIᵉ*). **— Qc** Un mauvais ouvrier a toujours des mauvais outils. **— Ang.** A bad workman quarrels with his tools.

DOUZE MÉTIERS, QUATORZE MISÈRES. — Fr. Qui est propre à tout n'est propre à rien. **— Qc** Douze [Treize, Quatorze, Trente-six, Cent, Mille] métiers, douze [treize, quatorze, trente-six, cent, mille] misères. **— Ang.** A man of many trades begs his bread on Sunday ♦ Jack of all trades is of no trade.

ŒUVRE

À L'ŒUVRE, ON CONNAÎT L'ARTISAN. — *Du latin:* Opus artificem probat. **— Fr.** L'œuvre l'ouvrier découvre ♦ Travail sans soin, travail de rien (*approximatif*) ♦ Il n'est d'ouvrage que d'ouvrier [de maistre] (*xive*). **— Qc** L'ouvrage dure plus longtemps que ça prend de temps pour le faire. **— Ang.** By the work, one knows the workman ♦ The work shows the workman.

OISIVETÉ

L'OISIVETÉ EST LA MÈRE DE TOUS LES VICES (*r. xive*). — *Du latin:* Omnium malorum origo otium. **— Qc** L'oisiveté est [la] mère de la paresse [du vice]. **— Ang.** Idleness is the root [the mother] of all evil ♦ An idle brain is the devil's workshop ♦ Idle hands are the devil's workshop.

SOUVENT CELUI QUI TRAVAILLE MANGE LA PAILLE, CELUI QUI NE FAIT RIEN MANGE LE FOIN (*Agen*).
— **Fr.** Il a battu les buissons et un autre a pris les oisillons ♦ Ce n'est pas l'âne qui gagne l'avoine qui la mange (*Auvergne*) ♦ Tel bat aucunes foiz les buissons dont ung autre a les oisillons (*xive*). — **Qc** La tête du pêcheur ne portera jamais la couronne. — **Ang.** One beats the bush and another catches the birds ♦ One ploughs, another sows, who will reap, no one knows.

PARESSE

LA PARESSE EST LA MÈRE DE TOUS LES VICES. — *En usage au Québec.* — **Fr.** En chômant, on apprend à mal faire (*vieilli*) ♦ L'oisiveté va si lentement que tous les vices l'atteignent (*vieilli*) ♦ Trop grand repos est le nourrissement des vices (*xive*). — **Ang.** Idleness is the root [is the mother] of all evil ♦ The devil finds work for idle hands.

RENARD ENDORMI

À RENARD ENDORMI RIEN NE TOMBE DANS LA GUEULE. — **Fr.** Celui qui ne veut pas travailler, qu'il ne mange pas non plus [ne doit pas manger] ♦ Les alouettes ne vous tombent pas toutes rôties dans le bec ♦ Renard qui dort n'attrape pas les poules (*Auvergne*) ♦ À loup qui dort, rien n'entre dans les dents (*Gascogne*) ♦ C'est pas d'arregarder [regarder] son métier qu'avance la besogne (*région lyonnaise*) ♦ À qui se lève tard, tout bien s'enfuie (*Guyenne, Limousin*) ♦ À goupil endormi,

rien ne tombe en la gueule (*xvi*ᵉ) ◆ Regnart qui dort la matinée n'a pas la langue emplumée (*xvi*ᵉ) ◆ Qui ne labeure point ne mengue point (*xiv*ᵉ). **– Qc** L'abeille qui reste au nid n'amasse pas de miel ◆ Celui qui se laisse battre par le soleil ne devient jamais riche. **– Ang.** Foxes, when sleeping, have nothing to fall into their mouths ◆ The sleeping fox catches no poultry ◆ Mince pies don't grow on trees ◆ No bees no honey, no work, no money ◆ He who will not work shall not eat ◆ The fish is in eating the rocks (*Terre-Neuve, Canada*).

SALAIRE

TOUTE PEINE MÉRITE [TOUT TRAVAIL MÉRITE] [SON] SALAIRE. – Fr. L'ouvrier mérite son salaire (*d'après* Luc). ◆ À toute peine est dû salaire (*r. xv*ᵉ) ◆ Qui bien sert bon loyer attend (*xiv*ᵉ). **– Qc** Toute paye mérite salaire. **– Ang.** The labourer is worthy of his hire ◆ The dog must be bad indeed that is not worth a bone ◆ Thou shalt not muzzle the ox that treadeth out the corn.

SEMER

IL FAUT SEMER POUR RÉCOLTER. – *En usage au Québec.* **– Fr.** Qui sème recueille ◆ Il faut semer pour recueillir (*d'après la Bible*) ♦ Il faut semer qui veut moissonner (*xvie*) — **Ang.** The hand that gives gathers ♦ You must sow ere you reap (*vieilli*).

TÔT

PARIS APPARTIENT À CEUX QUI SE LÈVENT TÔT. — Fr.
L'aurore est l'amie des Muses (*du latin:* Aurora Musis amica) ♦ Qui a bruit de se lever matin peut bien dormir la grasse matinée (*xvie*). **— Qc** Le monde appartient à ceux qui se lèvent tôt. **— Ang.** The morning hour has gold in it's mouth ♦ The early birds catch the worms in the morning ♦ The early bird gets the worm (*É.-U.*).

TRAVAIL

LE TRAVAIL ANOBLIT. — Fr. C'est au pied du mur qu'on voit le maçon ♦ L'œuvre l'ouvrier découvre (*du latin:* Opus laudat [commendat] artificem) ♦ Travail sans soin, travail de rien. **— Qc** Plus on travaille, mieux on s'instruit ♦ Le [un] travail fait mérite d'être bien fait. **— Ang.** The work praises the man [shows the workman] ♦ Work produces virtue... [and virtue honour].

LE TRAVAIL, C'EST LA SANTÉ. — *En usage au Québec.* **— Fr.** Le travail, c'est la liberté (*d'après le latin:* In labore virtus) ♦ Le travail est le meilleur des condiments (*du latin:* Optimum obsonium labor) ♦ La tempérance et le travail sont les deux médecins de l'homme (*pays niçois*) ♦ Travail, tempérance et repos ferment au médecin la maison (*Alsace*). **— Ang.** Rest is good after the work is done.

LE TRAVAIL D'ABORD, LE PLAISIR ENSUITE. — Fr. Bonne journée fait, qui de fol se deliure (*xvi*ᵉ). **— Qc** Les affaires avant le plaisir. **— Ang.** Work before play ♦ Business before pleasure (*É.-U.*).

LE TRAVAIL N'A JAMAIS TUÉ [N'A JAMAIS DÉSHONORÉ] PERSONNE. — Qc Le travail ne fait pas [n'a jamais fait] mourir son homme [personne]. **— Ang.** No use being dead when you're alive (*Nouvelle-Écosse, Canada*).

TEL TRAVAIL, TEL SALAIRE. — *D'après le latin:* Par præmium labori. **— Fr.** Nul bien sans peine. **— Qc** Chien qui marche, os trouve. **— Ang.** No pains, no gains ♦ As the work, so the pay.

TRAVAILLER

CELUI QUI NE VEUT PAS TRAVAILLER NE DOIT PAS MANGER. — *D'après* II, Thessaloniens. **— Fr.** Qui ne peine pas ne mange pas (*Corse*). **— Qc** Pour boire, il faut vendre. **— Ang.** He that will not work shall not eat ♦ If you want to play, you have to pay (*É.-U.*).

Vérité / mensonge

CALOMNIEZ

CALOMNIEZ, [CALOMNIEZ,] IL EN RESTERA TOUJOURS QUELQUE CHOSE. — Fr. Vantez-vous, vantez-vous, il en restera toujours quelque chose. **— Qc** Parle, parle, il en restera toujours quelque chose ◆ Parlez-en en bien, parlez-en en mal mais parlez-en! **— Ang.** Plaster thick, some will stick ◆ Throw plenty of mud, some of it is [some will be] sure to [If you throw mud enough, some of it will] stick ◆ Throw plenty of dirt [Fling dirt enough], some of it is [some will be] sure to [some of it will, and some will] stick ◆ The dirt of a squid can be washed off, but the dirt of a tongue sticks and stays (*Terre-Neuve, Canada*).

CHAT

IL FAUT APPELER UN CHAT UN CHAT [ET ROLET UN FRIPON]. — Fr. Il faut appeler les choses par leur nom. **— Qc** Un chien est un chien [p'is un chat est un chat]. **— Ang.** Call [I call] a spade a spade.

CLOCHE

QUI N'ENTEND QU'UNE CLOCHE N'ENTEND QU'UN SON. *— En usage au Québec.* **— Ang.** One tale is good till another is told ◆ Don't hear one and judge two.

QUI A UNE LANGUE VA À ROME. — *D'après l'italien:* Chiedendo si va a Roma. — **Fr.** Quand langue a, à Rome va (*XVI*ᵉ) ♦ Qui langue a, à Rome va (*XV*ᵉ). — **Qc** Avec une langue, on peut aller à Rome. — **Ang.** He that has a tongue in his head may find his way anywhere.

MÉMOIRE DE LIÈVRE QUI SE PERD EN COURANT. — **Fr.** Les mensonges ont les jambes courtes. — **Qc** Courte mémoire a bonnes jambes. — **Ang.** Lies have short legs.

GRAND PARLEUR, GRAND MENTEUR. — **Fr.** Homme plaideur, homme menteur ♦ Les voleurs sont des menteurs (*approximatif*). — **Qc** Bon pêcheur, [un bon pêcheur, c'est un] bon menteur ♦ Bon menteur, bon vanteur. — **Ang.** Great talkers are great liars ♦ Lying and thieving go together (*approximatif*).

MENTIR

A [IL A] BEAU MENTIR QUI VIENT DE LOIN. — *Du latin:* Egregie mentiri potest, qui ex loco longe dissito venit. *En usage au Québec.* — **Ang.** A traveller may lie with authority ♦ Who comes from afar may brag without fear ♦ A traveled man hath leave to lie (*vieilli*).

NOM

IL FAUT APPELER LES CHOSES PAR LEUR NOM. — *En usage au Québec.* — **Fr.** Il faut appeler un chat un chat... [et Rolet un fripon]. — **Ang.** [You must] call a spade a spade.

PROVERBE

PROVERBE NE PEUT MENTIR. — **Qc** À tout proverbe, on peut trouver sa chaussure.

SAVOIR

TOUT FINIT PAR SE SAVOIR. — *En usage au Québec.* — **Fr.** Tout se sait ♦ Rien de si caché qui ne finisse par se découvrir ♦ On ne fait rien qui ne soit su (*XIVᵉ*). — **Ang.** Truth will out; Murder will out [cannot be hid] ♦ What is done by night appears by day.

UNE SERVANTE DE PAYS LOINTAIN A BRUIT DE DAMOISELLE (*Pays basque*). — **Fr.** A beau [Il a beau] mentir qui vient de loin (*du latin:* Egregie mentiri potest, qui ex loco longe dissito venit). — **Qc** A bon nom qui vient de loin. — **Ang.** A traveller may lie with authority ♦ Who comes from afar may brag without fear ♦ A traveled man hath leave to lie.

VÉRITÉ

IL N'Y A QUE LA VÉRITÉ QUI BLESSE [QUI OFFENSE]. — **Fr.** La vérité engendre la haine ♦ Bien servir fait amis, vrai dire ennemis (*vieilli*) ♦ Il n'y a que la vérité qui blesse (*xviiie*). — **Qc** La vérité choque. — **Ang.** Nothing hurts like the truth ♦ The sting of the reproach is the truth in it ♦ Truths and roses have thorns about them.

VÉRITÉ

LA VÉRITÉ EST AU FOND D'UN [DU] PUITS. — *D'après Démocrite. En usage au Québec.* — **Fr.** La vérité est souvent éclipsée mais jamais éteinte (*approximatif*). — **Ang.** Truth lies at the bottom of the well ♦ Truth may be blamed but cannot be shamed (*approximatif*) ♦ A lie would travel ten miles while the truth was getting his boots on (*Nouvelle-Écosse, Canada*).

LA VÉRITÉ REVIENT À SON MAÎTRE. — *En usage au Québec.* — **Fr.** La vérité, comme l'huile, vient au-dessus. — **Ang.** Truth and oil are ever above.

LA VÉRITÉ SORT DE LA BOUCHE DES ENFANTS. — *En usage au Québec.* — **Fr.** Enfants et fous disent la vérité (*du latin:* Stultus puerque vera dicunt). — **Ang.** Children and fools speak [tell] the truth.

TOUTE VÉRITÉ N'EST PAS BONNE À DIRE. — *Du latin:* Non omnia quæ vera sunt, recte dixeris. *En usage au Québec.* — **Fr.** Toutes [les] vérités ne sont pas bonnes à dire (*La Fontaine,* Fables, *d.* XIVe) ◆ Tout vray n'est pas bon à dire (*XVIe*) ◆ Vérité ne veut pas toujours être révélée (*XVe*) ◆ Tuit voir ne sont pas bel à dire (*XIIIe*). — **Qc** Toute parole n'est pas bonne à dire ◆ La vérité n'est pas toujours bonne à dire. — **Ang.** Not all truths are proper [All truths are not] to be told.

Vie / mort

MIEUX VAUT ÊTRE BORGNE QU'AVEUGLE. — Fr. Plutôt souffrir que mourir, c'est la devise des hommes (*La Fontaine,* Fables). **— Qc** Être malade c'est un demi mal, mourir c'est pire. **— Ang.** Better to have one eye than be blind altogether.

CHIEN VIVANT

UN CHIEN VIVANT VAUT MIEUX QU'UN LION MORT. — Fr. De deux maux, il faut choisir le moindre (*du latin:* De duobus malis minus est semper eligendum) ♦ Vaut mieux languir que mourir, souffrir que pourrir (*Provence*) ♦ Il vaut mieux souffrir cent fois que mourir une (*Gascogne, Provence*) ♦ Mieux vaut péter que crever (*Gascogne*) ♦ Mielz valt tendre que rompre (*vieilli*) ♦ Mieux vaut plier que rompre (*XIVᵉ*) ♦ Mieulx vault pris

que mort (*xIVe*) ◆ Mieulx vaut prison que mort (*xIVe*). — **Qc** Vaut mieux souffrir que mourir. — **Ang.** A living dog is better than a dead lion ◆ Of two evils [arms, ills], choose the lesser ◆ Of two evils [Of two arms, Of two ills], choose the least ◆ Better bend than break ◆ Better bend the neck than bruise the forehead ◆ Betta fe fall from window dan roof (*Jamaïque*) ◆ Better a messy house than an early death ◆ Better to bow than break (*É.-U.*).

ESPOIR

TANT QU'IL Y A [DE LA] VIE, IL Y A [DE L']ESPOIR. — *Du latin:* Dum spiro, spero. *En usage au Québec.* — **Fr.** Même quand on désespère, on espère toujours. — **Qc** Où il y a de la vie, il y a de l'espoir. — **Ang.** While there's [Where there is] life, there's [there is] hope ◆ Never was a cat or dog drowned that could but see the shore.

GOURMANDISE

LA GOURMANDISE TUE PLUS DE GENS QUE L'ÉPÉE. — **Fr.** Plus que le fer, la gueule tue (*Languedoc*) ◆ La gorge en tue plus que l'épée (*Guyenne, Provence*) ◆ Aujourd'hui goinfrerie, demain crevaison (*Gascogne*) ◆ Qui trop mange crève (*pays niçois*) ◆ De peines et de bons soupers, les cimetières regorgent (*Gascogne*) ◆ Gourmandise tue plus de gens qu'épée en guerre tranchant (*Henri Estienne, xvIe*) ◆ La gueule tue plus de gens que les couteaulz ne font (*xIVe*). — **Qc** La fourchette [La table] tue plus de monde que l'épée. — **Ang.** Gluttony kills more than the sword.

228

HONNEUR

MIEUX VAUT MOURIR AVEC HONNEUR QUE VIVRE AVEC HONTE. — Fr. Mourir debout l'épée à la main (*loc. prov.*). **— Qc** Un bon soldat meurt debout dans ses bottes. **— Ang.** Better a glorious death than a shameful life ♦ To die hard (*loc. prov.*).

MORT

LA MORT VIENT MAIS ON NE SAIT L'HEURE. — Qc Mort souhaitée, vie prolongée. **— Ang.** Deaths foreseen come not.

LE MORT A TOUJOURS TORT. — Qc Il [ne] faut jamais enterrer un mort deux fois.

MORTS

LES MORTS PEUVENT ATTENDRE. — Qc Les morts sont bientôt [vite] oubliés. **— Ang.** Let the dead bury the dead ♦ He that died a [half a] year ago is as dead as Adam.

VIE

IL FAUT PRENDRE LA VIE COMME ELLE VIENT. — *En usage au Québec.* **— Fr.** Il faut prendre le temps comme il vient, les gens pour ce qu'ils sont, et l'argent pour ce qu'il vaut ♦ Temps vient et temps passe, fol est qui se compasse (*vieilli*). **— Ang.** Time does not bow to you, you must bow to time ♦ One must learn to take the rough and the smooth.

L'ART EST LONG, LA VIE EST COURTE. — *Du latin:* Ars longa, vita brevis. — **Qc** La vie est courte. — **Ang.** Time passes like the wind ♦ Art is long and life is short.

LA VIE EST UN COMBAT. — **Fr.** Le monde entier est une scène, hommes et femmes, tous, n'y sont que des acteurs (*approximatif*) ♦ Le monde est rond, qui ne sait nager va au fond (*xve*) ♦ La vie est un plateau de rats (*Martinique*). — **Qc** La vie est un combat dont la palme est aux cieux. — **Ang.** All the world's a stage, and all the men and women merely players (*approximatif*).

LA VIE S'EN VA COMME LA ROSE. — **Fr.** La vie est un sommeil [est un songe]. — **Qc** La vie, c'est comme une fleur qui perd ses pétales. — **Ang.** Life is but a span.

VIVANT

EN VIVANT L'ON DEVIENT VIEUX (*r. xive*). — **Fr.** Il ne vit qui languist [qui n'a repos] (*xive*). — **Qc** Qui bâtit pâlit.

VIVRE

IL FAUT VIVRE AVANT DE MOURIR (*Artois*). — **Fr.** C'est demie vie que de rire. — **Qc** Il faut rire avant de mourir de peur de mourir sans avoir ri. — **Ang.** Laugh and grow fat ♦ Laughter, the best medicine.

Varia

ADVIENNE

ADVIENNE QUE POURRA (*r. xiv*). — *En usage au Québec.* **– Fr.** Fais ce que doit, advienne que pourra! ♦ Ce qui doit advenir advient (*xiv*). **– Ang.** Come what may ♦ Come hell or high water.

AFFAIRES

LES AFFAIRES SONT LES AFFAIRES. — *En usage au Québec.* **– Qc** Il ne faut pas mélanger [*confondre*] [les] affaires et [l']amitié. **– Ang.** Business is business (*cité dans la pièce* The Hair-at-Law *de George Colmal Jr., xviii*).

CHANGEMENT DE CORBILLON

CHANGEMENT DE CORBILLON FAIT TROUVER LE PAIN BON. — *D'après le latin:* Variatio delectat. **– Qc** Pas de changement, pas d'agrément. **– Ang.** Variety's the very spice of life.

CONSEILLEURS

LES CONSEILLEURS NE SONT PAS LES PAYEURS. — *En usage au Québec.* **– Fr.** Il est plus facile de conseiller que de faire. **– Ang.** Advisers run no risk.

DIEU

DIEU VOUS BÉNISSE... [ET VOUS FASSE LE NEZ COMME J'AI LA CUISSE]. — Fr. L'on ne peut servir à la fois et Dieu et le diable ♦ Dieu est au prendre et le diable au rendre ♦ Dieu est au prester, le diable est au rendre (*xv*ᵉ). **— Qc** Que le bon Dieu le bénisse, que le diable le charisse [*charrie*]. **— Ang.** One cannot serve God and Mammon ♦ There's no leaping from Dahlila's lap into Abraham's bosom.

DORT

QUI DORT DÎNE [ET QUI DANSE JEÛNE] (*Auvergne*). — *En usage au Québec.* **— Ang.** A sleeping man is not hungry ♦ He who sleeps forgets his hunger.

GÊNE

OÙ IL Y A DE LA GÊNE, IL N'Y A PAS DE PLAISIR. — *En usage au Québec.* **— Fr.** Jamais honteux n'eut belle amie ♦ À coquin honteux, bourse plate [plate besace]. **— Ang.** A shame-faced beggar fares poorly.

GRAINE

IL NE FAUT PAS JETER LA GRAINE APRÈS LA BALLE. — Fr. Il ne faut pas jeter le manche après la cognée. **— Qc** Il ne faut pas tuer son chien parce que l'année est mauvaise. **— Ang.** Never throw the rope in after the bucket ♦ Never throw the helve after the axe.

JOUR

AU JOUR LA JOURNÉE. – Qc À chaque jour sa surprise. – **Ang.** Every day brings a new light.

JUIF

POUR TROMPER UN JUIF, IL FAUT QUATRE CHRÉTIENS, POUR TROMPER UN GÊNOIS, IL FAUT QUATRE JUIFS (*Provence*). – **Qc** Où il y a de l'argent, les juifs y sont. – **Ang.** Count like Jews and agree like brethren.

NOUVEAU

TOUT NOUVEAU TOUT BEAU. – *En usage au Québec.* – **Fr.** Tout nouveau paraît beau (*du latin:* Grata rerum novitas) ♦ Ce qui est nouveau est toujours beau (*Gascogne*) ♦ Il n'est ferveur que de novice ♦ De nouveau tout est beau (*XIVe*). – **Ang.** New brooms sweep [A new broom sweeps] clean ♦ Everything new is fine ♦ New things are fair.

PETITES BOÎTES

DANS LES PETITES BOÎTES SONT [DANS LES PETITS POTS,] LES BONS ONGUENTS. – Fr. Dans les petits sacs sont les bonnes épices. – **Qc** Dans les petits pots, les bons [meilleurs] onguents [dans les grands les excellents (la mauvaise herbe pousse vite)]. – **Ang.** Good things come in small packages [are wrappped up in small parcels] ♦ Little and good ♦ A little body often harbours a great soul ♦ Guid gear gaes in smaw balk ♦ There is guid gear in sma' buik (*Écosse*).

POUR UN POINT, MARTIN PERDIT SON ÂNE. — Fr. Faute d'une pointe, la chaussure fut perdue ♦ Faute d'un point, Martin a perdu son âme (*XVIe*). **— Qc** Faute d'un point, Martin a perdu son bien. **— Ang.** A miss is as good as a mile ♦ To spoil the ship for a halfpennyworth of tar (*loc. prov.*) ♦ For want of a nail, the shoe is [was] lost... [For want of a shoe, the horse is lost, For want of a horse, the man is lost] (*É.-U.*).

CHAQUE CHOSE A SON PRIX. — Qc Tout a un prix. **— Ang.** Everything can be had for money ♦ Everything has it's price (*É.-U.*).

PAS DE SAMEDI SANS SOLEIL NI DE FEMME SANS CONSEIL. — Fr. Pas de samedi sans soleil, pas de jeune veuve sans deuil, pas de jeune fille sans amour, pas de femme enceinte sans douleur (*Gascogne*). **— Qc** Pas de samedi sans soleil [ni de vieille, de ville, sans conseil].

LE TROIS FAIT LE MOIS. — Qc Le trois fait le mois [si le cinq ne le défait pas].

VA

ÇA VA, ÇA VIENT. — Qc Il n'y a rien de coulé dans le béton [dans le ciment].

VENGEANCE

LA VENGEANCE EST LE PLAISIR DES DIEUX. — Fr. La vengeance est un plat qui se mange froid. **— Qc** La vengeance est douce au cœur de l'Indien [des Indiens, du guerrier]. **— Ang.** Revenge is sweet ♦ Vengeance does not spoil with keeping.

VENT

AUTANT EN EMPORTE LE VENT. — *En usage au Québec.* **— Fr.** Princes à mort sont destinez/Comme les plus pauvres vivans/S'ils en sont coursez ou tennez/Autant en emporte li vens (*Moncorbier alias François Villon, xve*). **— Ang.** Gone with the wind ♦ That's all moonshine.

POUR VIVRE LONGTEMPS, À SON CUL FAUT DONNER VENT (*Champagne*). — **Fr.** Un pinson, pour être content, faut qu'il chante dru et pisse souvent (*Artois*). — **Qc** Pour vivre longtemps, il faut donner jour à son culvent.

Index

amoureux : a. seuls au monde 33 ; a., d'amour et d'eau 33

Amours : a. ne voient goutes 32 ; froides mains, chaudes a. 33

âne : à l'â., fera des pets 133 ; chantez à l'â. 133 ; chantez à l'â., des petz 133 ; d'un â., viande de bœuf 157 ; de l'avoine à un â. 133 ; 134 ; faute de bœuf, â. 112 ; laver la tête à â. 50 ; laver la tête à ung â. 133 ; pas l'â. qui gagne l'avoine 135 ; plus d'un â. à la foire 15 ; plus d'un â. s'appelle Martin 15 ; qui est â. 185 ; un â. gratte l'autre 88 ; un â. va bien 185 ; un â., l'autre rogneux 208

âne vivant : mieux â. qu'un savant 171

ange : l'a. fait la bête 185

angels : *the a., their wings* 167

anges : des a., les ailes 168

angry : *a., count to ten* 173

anguille : a. sous roche 75 ; toujours a. sous roche 75

années : les a. font vieux 190

annonce : grosse annonce, petit magasin 23

another man's table : *who depends upon a.* 197

apparences : a. sont trompeuses 98 ; juge par les a. 100 ; on juge par a. 99 ; par les a., à venir 100 ; pas se fier aux a. 98 ; sauvez les a. 100

Appearances : *a. are deceptive* 98 ; *never judge from a.* 98

appears : *what a. by day* 223

appelant : cœur a., voix répond 19

appétit : a. en mangeant 16 ; en mangeant, l'a. vient 16

appetite : *a. grows, feeds on* 16

apple : *the a., apple tree* 154

apprendre : jamais vieux pour a. 127

Apprenti : a. n'est pas maître 149 ; 151

appris : comme on a été a. 128

Argens : a. fait jeu 180

argent : a. ard gent 180 ; a. changé, mangé 179 ; a. contrôle le pays 180 ; a. fait le bonheur 180 ; a. fait perdre 111 ; a. mé-decine 180 ; a. peut tout 111 ; 180 ; choses obéissent à l'a. 180 ; l'a. contrôle les hommes 111 ; l'a. fait le bonheur 179 ; l'a. fait pas bonheur 179 ; l'a. maître du monde 180 ; l'a. n'a pas d'odeur 179 ; l'a. ouvre les portes 180 ; l'a. pas d'odeur 179 ; l'a. sent pas mauvais 179 ; l'a. sort par fenêtres 179 ; l'a., pas du ciel 179 ; l'a., queue lisse 179 ; n'est chose qu'a. 180 ; pas d'a., de Suisse 180 ; perte d'a. 180 ; plaie d'a. pas mortelle 180 ; point d'a., de valet 180 ; qui a a., ce qu'il veut 180 ; santé sans a. 180

Argent comptant : a. l'homme content 180

arrangement : a. mieux que procès 133 ; mauvais a., bon procès 133

arrive : a. qui plante 16 ; ce qui doit arriver a. 16

arrows : *like wood, like a.* 154

artères : l'âge de ses a. 191

asne : rude a., rude asnier 82

assemble : qui s'a. se ressemble 195

assez : point a., n'y a trop 145

Assiette : a. au beurre 110

assiette au beurre : pas au même l'a. 110

assis : cinq minutes a. 177

attempt : *much a. nothing do* 141

attendre : à point à qui sait a. 89 ; à point qui sait a. 89

audacieux : chance sourit aux a. 109 ; fortune aide aux a. 109 ; fortune favorise les a. 109

aught : *better a. than naught* 114

aujourd'huy : pouvez faire a., à demain 41

aumône : a. n'appauvrit pas 85 ; l'a. n'appauvrit pas 85 ; l'a. n'appauvrit personne 85 ; qui veut faire l'a. 86

aune : mesure pas à l'a. 98

aurore : l'a. amie des muses 218

autres : à d'a. 69

autrui : attend l'écuelle d'a. 197

autruy : qui mieux aime a. 198

avaricieux : un a. n'a suffisance 79

avenir : ne sait pas, l'a. 74

averti : dit a. dit muni 171

avertissement : a. en vaut deux 171

aveugle : il n'est pire a. 75

avis : fous changent pas d'a. 185

avoine : qui gagne l'a. 216 ; s'il mange de l'a. 161

avoir : l'a. mal acquest tost perdu 117 ; qui veut tout a. 77 ; tout a. n'a rien 78

ayme : bien a. bien chatie 31 ; bien a. doit corriger 31

B

bad : *nothing so b., of good* 56

bad dog : *of a b. a good bone* 134

bad padlock : *b. invites a picklock* 118

bad penny : *b. keeps coming back* 147 ; *b. shows up* 147

bad workman : *b. quarrels with tools* 214

bag : *who holds the b.* 126

Bague au doigt : b. corde au cou 65

bâille : b. avant six heures 213

bâillement : b. ne peut mentir 213

bâilleur : bon b., bâiller deux 47

baiser : b. finit par bébé 118

bait : *twice with the same b.* 54

bake : *as you b. you brew* 122

bal : le b., la danse continue 83

bals : ménagère suit les b. 72

Bannocks : *b. are better* 112

banquet : après b., petit pain 181

barbe : b. fait pas l'homme 101 ; b. pas le philosophe 101 ; la b. avant bon sens 190

barbe blanche : si la b. faisait sages 190

Barefooted folk : *b., tread on thorns* 204

barking dog : *b. never bites* 97

Barking dogs : *b. seldom bite* 97

bas de laine : plus chaud en b. 157

bass' mess' : ein b., gran.ne église 24

bât : où le b. blesse 197

bâtit : qui b. pâlit 230

battus : b. paient l'amende 105

batu : mal batu, bien b. 195

bear : *catch the b.* 45 ; *till you have cought the b.* 38

bear's skin : *sell not the b.* 39 ; 44

beard : *the brains, the b.* 190

beau jeu : à b. beau retour 83

Beau plumage : b. fait bel oiseau 99

beau temps : après pluie, b. 51 ; 56

beauté : âge avance, b. passe 89 ; b. pas à dîner 98 ; b. qu'image fardée 89 ; sous la crasse, la b. 98

Beauté de femme : b. n'enrichit l'homme 98

Beauty : *b. but skin deep* 89 ; *b. buys no beef* 98 ; *b. only skin deep* 99

beaux : pas tous être b. 182

bébé : le b. avec l'eau du bain 142

bébés : les b. dans carrosses 189

bed : *as you make your b.* 122

bed of roses : *life is not a b.* 61

Beggars : *b. must not be choosers* 86

beginning : *all things have a b.* 17 ; *good b., half the battle* 17

begun : *well b., half done* 17 ; *well begun, half ended* 17

behind : *two men, one b.* 151

bêle : brebis qui b. perd 19

belle plume : b. fait bel oiseau 99 ; 100

belles choses : b. ne coûtent rien 105

belles paroles : b. coûtent peu 105

belles plumes : b. font beaux oiseaux 99

bellows : *drive a windmill with b.* 26

bells : *not all your b.* 177

belly : *he makes b. swell* 190

bend : *better b. than break* 228 ; *better b. then break* 107

bénitier : le diable au b. 80

bent : *twig is b., it grows* 128

ber : apprend au b. dure 121 ; au b. qu'au ver 121

berceau : apprend au b. demeure 121 ; on apprend au b. 121

Bertrand : du bien à B. 133 ; du bien à B., en chiant 50

besoin : au b. connaît-on l'ami 33 ; au b., ses

239

chante : c. aujourd'hui, pleure 52 ; coq qui c.
le matin 51 ; poule qui c. fait l'œuf 125 ;
poule qui c. qui pond 125

chapeau : c. pas le monsieur 101 ; le c. te fait,
mets-le 125

chapon : c. mange, lui vient 183

chardons : des c., des épines 81

charitable : *the c. give out* 85 ; 113

charité : c. jamais appauvri 85 ; c. par soi-
même 198

Charity : *c. begins at home* 199

charretier : bon c. ne verse 95

charrier : faut pas c. 142

charrue : pas mettre c. devant les bœufs 37

chasse : à la c. perd sa place 165 ; qui va à
la c. 166

Chasteau : c. pris, plus secourable 37

chat : à bon c., rat 82 ; appeler un c. chat 221 ;
c. court après souris 153 ; du c., la
queue 168 ; pas faire sortir le c. 53 ; pas
réveiller c. qui dort 52 ; pas réveiller le c.
53 ; réveillez pas le c. 53 ; 58 ; un c. un
chat 223

Chat échaudé : c. craint eau froide 53

Chat eschaudez : c. iaie creint 54

chat qui dort : réveillez pas le c. 172

châtie : Dieu c. 53 ; le Seigneur c. 53

chats : c. siffleront, croirons 158

chaud : battre le fer, qu'il est c. 25

chaudron : petit c., oreilles 206

chaussure : borne-toi à la c. 204 ; borne-toi à
ta c. 209

chefs : beaucoup de c., d'Indiens 140

chemin : beau c. rallonge pas 103 ; joli c.
n'allonge pas 103

cheminée : c. flambe, poêle tire 63

chemins : deux c., le meilleur 89 ; meilleurs c.,
les plus courts 89

chemise : la c. est plus proche 198 ; la c., le
pourpoint 199 ; louer sa c., chié dedans
43

cherche : en veut en c. 179 ; qui c. trouve
17 ; rien ne c. 176

Cherchez : c. et vous trouverez 17

chet : plus haut monte de plus haut c. 147

cheval : c., pondre un œuf 157 ; fermer l'écurie, le c. sorti 43

cheval donné : à c. regarde pas la dent 85 ;
c. en bouche garder 85 ; c. ne regards
les dents 85 ; c. regarde pas la bride 85

chevalier : aujourd'hui c., vacher 37

cheveux : peigner qui n'a pas c. 163

chèvre : la c., elle broute 78

chez nous : tartine de sirop c. 72

chez soi : n'est bien que c. 69

chez-nous : petit c. vaut ailleurs 69

chez-soi : petit c. vaut mieux 69 ; 72

chickens : *don't count your c.* 39 ; 42 ; 44

chien : bon c. de race 153 ; bon c., un autre
47 ; c. est un chien 221 ; c. pas un
sifflieux 158 ; c. qui pisse, l'autre 47 ; c.
regarde bien un évêque 149 ; faut pas
tuer son c. 232 ; mot c., jamais mordu
48 ; nourrit tel c., maistre 50 ; on nourrit
tel c. 133 ; pas réveiller c. qui dort 52 ;
pas rien qu'un c., Pitou 15 ; pas un c.
dehors 48 ; tuer le c., la queue 59 ; un c.
vaut mieux 67 ; un c. sur une église 48

Chien batailleur : c., oreilles blessées 47

Chien de chasse : c. chasse de race 153 ; c.
tient de race 153

Chien en vie : c. mieux que mort 171

Chien hargneux : c., l'oreille déchirée 47

chien qui dort : pas réveiller le c. 172

chien vivant : c. vaut mieux 227

chiendent : le c. pousse vite 147

chiens : nos c. pas ensemble 199 ; ses c.
avec saucisses 181

chier : faut pas c. 127

chip : *a c. off the block* 154

choisit : c. prend pire 172

choit : bas c. trop haut monte 147

chômant : en c., mal faire 216

chose faite : à c., point de remède 37

Chose promise : c. chose due 182

chosen : *many, few are c.* 155

Christmas : *C. once a year* 59 ; 103

church : *nearer the c., God* 155

empty stomach : *on an e.* 116

end : *an e. to everything* 21 ; *e. justifies means* 21 ; *good things, an e.* 21 ; *wills the e. wills the means* 21

endurer : mieux e. que tuer 171

endureth : *he that e., be saved* 92

enemies : *worst e., his own house* 32

enfant : nourrir autruy e. 198 ; père, e. prodigue 154 ; sage mère, sage e. 154 ; tel père, tel e. 154

enfants : les e. s'amusent 150

engin : mieux e. que force 105

engrène : bien e. bien finit 17

Enough : *e. good as a feast* 145

enrage : à son chien, qu'il e. 20

enragé : chien, accroire qu'il est e. 20

entente : e. vaut mieux qu'un procès 133

enterrer : personne sans l'e. 48

envie : mieux e. que pitié 184 ; mieux faire e. 184

envié : mieux e. qu'apitoyé 184

envied : *better e. than pitied* 184

épines : nulle rose sans é. 55 ; pas de rose sans é. 54

épingle : avec l'é. d'un autre 207

equal : *all men are e.* 194

Erreur : e. n'est pas compte 95 ; l'e. est humaine 95

erreurs : apprend par nos e. 96

espère : on e. toujours 228

espoir : de la vie, de l'e. 228 ; y a vie, y a e. 228

esprit : l'e. qu'on veut 185

essaie : qui n'e. rien 178

étable : pas faire l'é. au veau 38

étincelle : petite é., grand feu 15

étiquette : pas juger sac à l'é. 101

étrangler : façon d'é. un chat 198

étudier : é. mieux qu'ignorer 27

eve : va pot à l'e. 173

everybody : *cannot please e.* 210 ; *who would please e.* 210

everyone : *can't please e.* 210

evil : *sufficient is the e.* 59

exception : e. confirme la règle 20 ; *e. proves the rule* 20 ; pas de règle sans e. 20

excès : après e., régime 55

Experience : *e. mother of knowledge* 127 ; 187 ; *e. the best teacher* 22

Expérience : e. mère de science 127 ; 187 ; e. passe science 187

extreme wrong : *extreme right is e.* 142

eye : *e. bigger than belly* 145 ; *the e. sees not* 169

eyes : *e. bigger than stomach* 145

F

façade : tout pour la f. 72

faim : f. chasse loup 184

Faint heart : *f. never won fair lady* 19

Fair : *f. and softly goes far* 111

fair booty : *f. makes a thief* 118

fair weather : *after clouds, f.* 56 ; *after rain, f.* 51

faire : au f. la maîtrise 22 ; bien f. passe tout 20 ; bien f. vaut mieux 20 ; bien f., laisser braire 21 ; bien f., laisser dire 21 ; de conseiller que de f. 20 ; de dire que de f. 20 ; dire et f. sont deux 20 ; dire fait rire, f. fait taire 20 ; entre dire et f. 20 ; entre f. et dire 20

Fair-weather : *f. friend* 34

Fais : f. ce que doit 231

fait : bonne journée f. 219 ; dit au f., grand trait 20 ; est f. est fait 37 ; 43 ; qui est f. est fait 39 ; serrer les fesses, f. au lit 38

fait d'aultruy : su f. se mêle 175

Faith : *f. half the battle* 155 ; *the just by f.* 155

fall : *betta fe f.* 228 ; *higher the fool, the f.* 147 ; *the higher, the lower f.* 147

farine : pas de f., pas de pain 25

Farine de diable : f. tourne en bran 117 ; f. tourne en son 117

farine du diable : f. n'est que bran 117

fashion : *everyone his f.* 198

fault confessed : *f. half redressed* 95

faults : *every man his f.* 201

faut : f. ce qu'il faut 21

faute : qui fait la f. 137

Faute avouée : f. moitié pardonnée 95

fautes : faisant des f., on apprend 96

favor me : *up the hill f., thee* 88

fear : *f. of the Lord, wisdom* 186

feather : *not of the same f.* 200

feathers : *fine f., fine birds* 100 ; 101

femme : avoir la meilleure f. 208 ; bonne f., bon mari 70 ; f. ,me du foyer 70 ; f. qui chicane, cabane 55 ; f. travailleuse 70 ; f. vaut couronne 70 ; f. veut, diable veut 150 ; f. veut, Dieu veut 150 ; heureux qui treuve f. 70 ; homme sans f., l'hiver 34 ; la f. dispose 150 ; la f. se repose 150 ; parole de f., de Dieu 150 ; qui f. a, noise 55 ; tant la f., ménage 70

femme de bal : f. peu de besogne 72

femme du cordonnier : f. toujours mal chaussée 200

femme fardée : f. pas de durée 89

femmes : f. font les foyers 71

fenêtre : sort par la f. 159

fer : battre le f., chaud 18 ; battre le f. chaud 213 ; battre le f., chaud 39 ; battre le f., il est chaud 39

fers : li f. est chauz 39 ; li f. est chauz, batre 18 ; pas mettre trop de f. 79

fesses : un singe, sur les f. 147

fête : après la f., la tête 37 ; f. jeudi, viande vendredi 55 ; pas f. sans lendemain 55 ; pas toujours f. 59 ; 103

fêtes : chômer les f. avant 39 ; pas chômer les f. 44

feu : de la neige, plus de f. 127 ; faire f. qui dure 90 ; maison sans f., âme 71 ; pas allumer le f. 45 ; pas de fumée sans f. 63

feu de paille : c'est un f. 90 ; grand f., qui vaille 90

feuilles : qui a peur des f. 174 ; qui craint les f. 174

fiddle : *hangs up his f. home* 72

fille : faire d'une f. gendres 160 ; mère, f.

teigneuse 153 ; plus belle f. du monde 159 ; telle mère, f. 153 ; une f., contre le père 153

fille fardée : f. de courte durée 89

filles : faire guernier qué f. 153 ; mieux dix f. 153

fils : père, f. gaspilleur 154 ; père, f. prodigue 154 ; tel père, tel f. 154

fin : bonne chose a une f. 21 ; f. contre fin 82 ; f. justifie moyens 21 ; meilleures choses, une f. 21 ; une f. à tout 21

Fine clothes : *f., the gentleman* 101

Fine feathers : *f., fine birds* 99

finger : *f., bark and tree* 175 ; *your f., your hand* 80

fire : *there's snow but there's f.* 127

First : *better f. in a village* 152 ; *comes f. to the ha'* 93 ; *f. come, served* 93 ; *f. shall be last* 136

first fill : *cask savours the f.* 122

first step : *the f. the hardest* 27

fish : *as good f. in the sea* 35 ; *catch f., getting wet* 21 ; *good f. but cought* 38 ; *good f., but cought* 44 ; *talk is cheap, f. scarce* 21

fish-hooks : *to have f., pocket* 181

flamme : maison sans f., âme 71

flash : *a f. in the pan* 90

flot : de f. va de marée 104

flûte : de f. au tambour 103

foi : la f. sauve 155 ; le juste par la f. 155

foire : à la f. et au moulin 160 ; 164

fois : deux f., mauvaise habitude 96 ; une f. pas coutume 96

Folk's dogs : *f. bark worse* 119

folle demande : à f. point de réponse 187

folly : *f. of one man* 57

Fontaine : f., pas de ton eau 40 ; faut pas dire f. 73

fool : *a f. is never cured* 188 ; *born a f.* 186 ; *f. always right* 186 ; *make a f. wise* 186 ; 188

Foolish consistency : *f. of small minds* 185

Fools : *f. are born* 186 ; 188 ; *f. grow* 147 ; *f.*

248

have the luck 189; *if all f. wore caps* 187

fools' writing papers: *white walls are f.* 187

force: contre f., de résistance 106; f. forcée, petite durée 106; f. passe droit 106; f. prime droit 106; 118; f., pas de résistance 106; pas un chien de f. 105; *you cannot f. him* 106

Forewarned: *f. is forearmed* 171

forgeant: en f., febure 22; en f., forgeron 22

forger: à force de f., forgeron 22

fort: le plus f. le meilleur 106; raison du plus f. 106

fortune: *f. helps, themselves* 159; f. rit, lui ouvrir 109

fossé: au bout du f. 173

fou: f. en naissant 186; qui est f. de nature 186

four: au f. et au moulin 160; 164; le f., moulin brûlé 208

Four eyes: *f. more than two* 201; *f. see more* 209

fourchette: la f. tue monde 228

fous: Dieu aide aux f. 189; f. aux petites maisons 187; f. dans les asiles 187; le nom des f. 187; nom des f. écrit partout 187; plus de f. en liberté 187; plus on est de f. 187

fraises: des f. à l'année 59

fréquentes: dis-moi qui tu f. 202

frère: battre son f., chaud 18

frette: cul du diable, qu'il est f. 25

friar: *do as the f. says* 19

fric: de f. va de frac 103

Fricot: f. chez nous, école 55

friend: *a f. in need, indeed* 33; *father, brother, good* f. 31; *good f., nearest relation* 31

friends: *defend me from my f.* 32; *f. may meet* 203; *in time of prosperity, f.* 33; *save me from my f.* 32

frotte: qui s'y f. s'y pique 202

full stomach: *f. makes happy heart* 62

fumée: f. s'attache au blanc 48; feu ne fut sans f. 63; nul feu sans f. 63; pas de feu sans f. 63

G

gagne: qui g. perd 26

gagner: en voulant trop g. 79; 140; perd tout, trop g. 77

gain: beau g., dépense 179

gaislings: *catch geese, catch g.* 112

galette: faute de pain, la g. 112

galeux: g. se gratte 125; 200

galon: on prend du g. 139

gambler: *once a g., always* 121

gantelet: g. gagne, gorgeron mange 103

garment: *g. makes the man* 100

gaspilleur: g. jamais bon amasseur 110

gâteau: avoir un g. et le manger 164; manger votre g. 160; votre g. et le garder 164

gay coat: *not the g. the gentleman* 101; *the g., the gentleman* 99

gendres: fille mariée, des g. 40

gêne: de la g., pas de plaisir 232

genres: faut de tous les g. 203

gift horse: *a g. in the mouth* 86; *don't look a g.* 86

gifts: *little g. keep friendship* 85; *small g. keep friendship* 85

give: *more blessed to g.* 86; 87

gives: *he g. twice, quickly* 86; *that g. gathers* 218

glaine: coq a canté, g. 66

glass: *whose house is of g.* 204

glass houses: *who live in g.* 204

glass windows: *who has g., heed* 204

glitters: *not gold that g.* 99

glorious death: *better a g.* 229

gluttony: *belly full of g.* 62; *g. kills* 228

gnat: *strain at a g.* 162

goat: *the g. is tethered, browse* 77

God: G. disposes 149; *G. does is well done* 19; *G. knows* 73; *not G., can do little*

H

I

idée : fous changent pas d'i. 185

idle brain : i. devil's workshop 215

Idle hands : i. devil's workshop 215 ; the devil for i. 216

Idleness : i. root of evil 215 ; 216

ifs and ands : if i. were pots and pans 158

Ignorance : i. n'a pas de borne 188 ; i. point prudence 188

ill : of one i, many 58 ; of one i., many 57

ill name : a dog an i., hang him 20

Ill weeds : I. grow apace 147

ill wind : an i., no good 56

Ill-gotten goods : i. seldom prosper 117

impossible : ask for the i. 161 ; pas demander l'i. 161

imprévu : faire la part de l'i. 22 ; l'i. est moins rare 22

In : i. for a penny, a pound 16 ; i. for penny, pound 195

inch : give an i., a mile 80 ; give an i., an ell 80

Inches : i. don't make a man 98 ; not measured by i. 98

ingrat : obliger un i. 87 ; 133

iniquity : he that sows i. 81 ; i. shall reap sorrow 83

injures : des i., les mépriser 48

injuste gain : d'i. juste daim 117

injustice : justice extrême extrême i. 142 ; souffrir d'une i. 135

innocents : aux i. mains pleines 189

intention : i., valeur du don 23 ; l'i. qui compte 23 ; l'i. suffit 23

iron : strike i. while h. 213 ; strike the i., hot 18

J

Jack of all trades : J. of no trade 215

Jacks : more J. at the fair 15

jalousie : pas d'amour sans j. 34

jamais : faut jamais dire j. 73 ; j. c'est beaucoup 73

jappe : qui j. ne mord pas 97

jealousy : love never without j. 34

Jean Bête : J. a laissé des héritiers 188

jest : a j., answer is a scoff 187

jeu : heureux au j., en amour 34 ; heureux au j., en femme 34 ; j. où il y a dommage 141 ; malheureux au j., amour 34

Jeu de main : j. jeu de vilain 141

Jeu de mains : j., jeu de vilains 141

Jeu de pied : j. jeu de charretier 141

jeune : j. n'apprend, vieux 128 ; si j. savait, vieux 128

jeunesse : la j. pour construire 128 ; poulain prend en j. 128 ; que j. se passe 128 ; si j. savait 128 ; si j. sçavait 128 ; travailler en j. 128

Jews : count like j. 233

Jill : every J. his J. 194 ; every Jack his J. 193 ; there is somewhere a J. 193

joie : grant j., pleurs 52 ; 60 ; toute j. en tristesse 60 ; toute j., en tristesse 52

Joneses : keeping up with j. 143

Jos Meilleur : J., ça fait ailleurs 109

jouant : en j. chiens mordent 141

jour : après nuit, j. 56 ; après pluie, le j. 51 ; au j. la journée 233 ; chaque j. sa surprise 233 ; notre j. viendra 56 ; un j., ton tour 56

jours : les j. se suivent 194

joy : after j. annoy 51

joye : après courroux, j. 56

judge : both accuser and j. 135 ; can't be j. and jury 135 ; to be a j., own cause 135

juge : on n'est pas j. 135 ; on ne peut être j. 135 ; personne ne peut être j. 135

juif : pour tromper un j. 233

juifs : l'argent, les j. 233

Juoc de mans : j. juoc de vilans 141

jurer : ne faut j. de rien 73

justice : j. est comme la cuisine 136

K

kemise : s'k. est pus près 199

kettle : calling the k. black 207

knave : a k., an honest man 124 ; k. in a

Mildness : *m. better than harshness* 47

mill : *grindeth at my m.* 112

Mince pies : *m. on trees* 217

mirth : *sorrow, heels of m.* 60

miser's bag : *the m. never full* 77 ; 79

misère : m. pas pour les chiens 110 ; m. sur les pauvres 110

misfortune : *one man's m.* 57

Misfortunes : *m. seldom singly* 57 ; 58

Misreconing : *m. is no payment* 95

miss : *a m. as a mile* 234

Mistakes : *m. the best teachers* 96

moi : à m., demain à toi 110

moindre : deux maux, le m. 227

moine : abbé qui a été m. 150

moineau : m. dans main vaut mieux 67 ; m. pris vaut mieux 67

moisit : blé mûrit, pain m. 148

Moisson d'autrui : m. plus belle 80 ; 205

moitié du monde : m. rit de l'autre moitié 208 ; m., l'autre se gouverne 208

monde : dans le m., ça pue 58 ; faut toutes sortes de m. 203 ; le m. est petit 205 ; le m. est rond 230 ; m. entier est une scène 230

money : *everything for m.* 234 ; *lend m., lose friend* 49 ; *m. ace of trumps* 180 ; *m. begets money* 183 ; *m. has no smell* 179 ; *m. is welcome* 179 ; *m. makes mare go* 111 ; *m. opens doors* 111 ; *m. ready medicine* 180 ; *m. rolls away* 179 ; *m. talks* 111 ; 180 ; *m. the mare go* 180 ; *m. will do* 180 ; *no m. no candy* 180 ; *no m. no piper* 180 ; *with m., world* 180

Monnaie : m. fait tout 180

mont : chaque m. son vallon 48

montagne : la m. à Mahomet 205 ; m. accouché d'une souris 23 ; 102 ; va à la m. 205

montagnes : deux m. se rencontrent jamais 203 ; les m. se rencontrent pas 205 ; m. se rencontrent jamais 203

montre : belle m., peu de rapport 23

monture : aller loin ménage sa m. 111 ; voyager ménage sa m. 111

moon : *crying for the m.* 162 ; *no crying for the m.* 161

moonshine : *that's all m.* 235

moqueurs : m. sont moqués 82

Moquin : m. moqua 82

Morceau avalé : m. plus de goût 49

mordu : m. d'un chien, chienne 195

mordure : chien, chienne, même m. 195

more : *bite m., can chew* 145 ; *much would have m.* 77 ; 79 ; *the m. the merrier* 187

morning hour : *m. has gold* 218 ; *m., gold in its mouth* 214

morning sun : *no m. lasts whole day* 128

morsel : bon m., bone novele 61

mort : à m. sont destinez 235 ; après la m., médecin 37 ; après m., médecin 43 ; la m. vient 229 ; m. a tort 229 ; m. souhaitée 229 ; un m. deux fois 229

morts : m. peuvent attendre 229 ; m. sont oubliés 229 ; pas réveiller les m. 172

morue : mieux ta propre m. 69 ; 72

morveux : laisser son enfant m. 59 ; m. se mouche 125 ; 200 ; m., moucher les autres 205 ; se sent m. se mouche 200

mot : ne dit m. consent 107 ; un m. à l'oreille 206 ; un m. perd un homme 24 ; un m., pendre un homme 24

Mot à mot : m. les gros livres 92

mother : *with the m. begin* 154

mouche maigre : morsure de m. 184

moucher : pas se m. plus haut 143

moules : ne criez pas des m. 42

moulin : ne peut à un m. 109 ; tourner le m., le vent 25

mountain : *let Mahomet go to the m.* 205 ; *m. has brought mouse* 102 ; *Mahomet to the m.* 205 ; *the m. in labor* 23

mourir : m debout 229 ; m. c'est pire 227

mouse : *a m. to catch skunks* 26 ; *better a m. in pot* 112 ; *m. has had enough* 144 ; *m. in time may bite* 90 ; 92 ; *when the m. had anough* 139 mouton : pas chercher le m. 161

moyenner : toujours moyen de m. 159

moyens : à la fin, les m. 25 ; tous m. sont bons 21 ; 159 ; vivre selon ses m. 144

Much : *m. have more* 183

muck : *there's m., money* 179

mud : *throw plenty of m.* 211 ; 221

mûr : blé est m., on le fauche 25 ; fruit est m., il tombe 25 ; le blé quand il est m. 25

Murder : *m. will out* 223

mûre : deux vertes, une m. 56 ; poire est m., elle tombe 25

murs : les m. ont des oreilles 206

muse : tel refuse, après m. 43

mutton : *the m., take a slice* 109

N

nager : à l'eau, il faut n. 16

nail : *for want of a n.* 234

nature : le vilain brisier sa n. 124 ; *the wolf, his n.* 123

natureau : c'est le n. de la bête 123

naturel : le n. avec une fourche 123 ; le n. revient 123 ; le renard, non de n. 123 ; les loups, leur n. 123

Nécessité : n. pas de loi 22 ; n., sillir le loup 184

Necessity : *n. knows no law* 22 ; 116

neck : *better bend the n.* 228

neige : la n. sur la montagne 129

neighbour : *better a n. near* 169 ; *good n., good morrow* 169

nest : *bird likes his n.* 206

Never : *n. is a long day* 40 ; *n. is long day* 73

new : *n. is fine* 233

New brooms : *n. sweep clean* 233

New things : *n. are fair* 233

news : *no n. good news* 73

nez : le n. le plus long 206 ; n. dans soupes d'autrui 206 ; pend au bout du n. 76

nez long : un n., une belle figue 100

ni : oisel son n. est bel 206

nid : oiseau son n. beau 206 ; oiseau, son n. beau 206 ; 208

nigger : *a n. the wood pile* 75

night : *cats grey in the n.* 74 ; *n. mother of counsel* 91

Noblesse : n. oblige 150 ; n. vient de vertu 150

noce : à n. sans prier 166 ; qui va à n. sans prier 166

noces : aux n. sans être invité 166 ; de n. le soir 183 ; jamais aller à n. 166 ; les jours pas 59 ; n. de valets 150 ; tous jours pas n. 103 ; tous les jours pas n. 103

nom : choses par leur n. 221 ; les choses par leur n. 223

nombre : tout fait n. 18

nopces : toujours pas n. 103

Normand : à N., Normand et demi 82

nose : *your n. to yourself* 209

nothing : *much ado about n.* 23 ; *n. for nothing* 27 ; *where n. is, done* 159

nouilles : les n. dans la soupe 188

nouveau : de n. tout beau 233 ; n. paraît beau 233 ; qui est n. est beau 233 ; tout n., beau 233

nouvelles : pas de n., bonnes 73

novice : ferveur que de n. 233

Now : *n. is the time* 18 ; *n. make the move* 213

nuit : de n., semble farine 74 ; la n. porte conseil 91 ; la n., chats sont gris 74 ; la n., chats sont noirs 74 ; n. donne conseil 91 ; n. mère de pensée 91

numbers : *safety in n.* 211

nuyt : par n., farine 74

O

obéir : d'o. de commander 150 ; o. pour commander 150

oblige : qui o. promptement 86

obliger : c'est o. deux fois 86

occasion : l'o. fait le larron 118 ; *o. by the forelock* 109 ; saisir l'o. aux cheveux 109

261

pays 72 ; personne n'est p. 72

propre à tout : p., propre à rien 215

Proverbe : à tout p. chaussure 223 ; p. ne peut mentir 223

prudence : p. mère de sûreté 177 ; p. mère de vertus 177

pudding : *better some of the p.* 112

puis : va le pot au p. 173

Q

Quarrelling dogs : *q. halting home* 47

Quatre yeux : mieux q. que deux 209 ; q. plus que deux 209

questions : *ask no q.* 206

quêteux : pas de q. de riche 110 ; q. à cheval oublient balai 116

queue : la queue après l'avoir perdu 44 ; pas abrider cheval par la q. 37 ; sa q. à sa manière 202 ; sa q. selon son goût 202

quickly : *good and q. seldom meet* 93 ; *good and q.* 176

quitte : sait ce qu'on q. 67

R

race : de r. chien chasse 153

rage : noyer son chien, de la r. 20 ; tuer son chien, met la r. 20

rain : *small r., great dust* 15

raisin : mieux un r. pour moi 198

raison : vin entre, r. sort 189

rat : bon chat, bon r. 82

rats : les r. quittent navire 34 ; r. desert sinking ship 34

raven : *the r. to the starling* 208

reap : *who will r.* 216

receleur : r. pas mieux que voleur 126

reckoning : *even r., friends* 200

reckonings : *short r., friends* 200

redemander : chose donnée, pas r. 88

redescendre : qui monte doit r. 147

Regardez : r. avant de sauter 177

Regnart qui dort : r. pas la langue 217

reign : *better r. in hell* 152

reliques : prêtre loue ses r. 206 ; 208

reluit : ce qui r. n'est pas or 99 ; qui r. n'est pas d'or 99

remède : mal désespéré, r. héroïque 82 ; r. pire que le mal 59

remèdes : grands maux, grands r. 82

remedies : *desperate diseases, r.* 82

remedy : *r. worse than disease* 59

renard : à r., et demy 82 ; laissons péter le r. 21 ; r. est bien fin 82 ; r. n'a qu'un trou 182

renard endormi : r. rien dans gueule 216

Renard qui dort : r. n'attrape pas 216

renommée : bonne r., ceinture dorée 102 ; mieux r. que richesses 102

renons : mieux r. que povres nons 102

repent : qui se r., innocent 95

repos : r., des vices 216

réputation : r. perdue retrouve plus 44

revanche : à charge de r. 83

Revenge : *r. is sweet* 235

reverse : *every medal its r.* 48

rhubarbe : la r., le séné 88

Rhume : r. négligé rhume soigné 29 ; un r., il dure 29

riant : journée en r., pleurant 60

ricaneux : grand r., brailleux 60

riche : vaut mieux r. et en santé 145

riche homme : r. sa vache vêle 145

richesse : r. qui est mal acquis 117 ; santé, r. reste 180

rien : ne faut jurer de r. 40 ; r. pour rien 27 ; r. sans rien 27

ripest fruit : *r. first falls* 25

Rira : r. bien, le dernier 44

rire : demie vie de r. 60 ; demie vie que r. 230 ; mieux r. que pleurer 60 ; pas à r., tout le monde 204 ; r. avant de mourir 230 ; trop r., pleurer 60

richesse 191 ; trésor que de s. 191 ; vaut
    mieux la s. 191
sauce : pas étirer la s. 173
sauter : un crapaud, le voir s. 101
Sauterelle par sauterelle : s. remplit sa cale-
    basse 92
Sauve : s. qui peut 178
savate : soulier devienne s. 148 ; soulier de-
    vient s. 148
save : *for age and want s.* 128
Savoir : s. c'est pouvoir 27 ; tout par se s.
    223
scalded cat : *s. fears cold water* 54
scies : s., plus de poteaux 158
scolding wife : *smoke, raining and s.* 55
scratch 88 ; *more you s., itches* 55
se taire : meilleur de s. 178
Se tromper : s. est humain 95 ; vaut mieux s.
    186
secret : n'est a rien dire 75 ; s. de trois, de
    tous 75 ; ton s. est en chartre 75 ; un s.
    partagé, sa valeur 75
Seek : *s. and ye shall find* 17
seeketh : *he that s. findeth* 17
seigneur : à tout s. honneur 137
Self-praise : *s. stinking ben* 203
semblant : pas clercs portent le s. 101
sème : qui s. recueille 217
semence : semer sa s. 177 ; toute sa s.,
    champ 177
semer : faut s., moissonner 218 ; s. pour ré-
    colter 217 ; s. pour recueillir 217
serf : d'un s. fait seigneur 116
serpent : le s. est caché 74 ; s. sous les fleurs
    75
servante : s. bruit de damoiselle 224
servi : commander, avoir s. 151
service : bon s., bénéfice 83 ; s. attire un
    autre 83 ; un s., un autre 83
serviettes : mélanger s. et torchons 196
seuil de ta porte : propre, par le s. 208
shadow : *every light, its s.* 48
shame-faced beggar : *s. fares poorly* 232
sheep : *separate s. from goats* 196

shell : *the nut, crack the s.* 104
shirt : *close sits my s.* 198
shoe : *the s. fits, wear it* 125 ; *where the s.
    pinches* 198
shoemaker's wife : *s. the worst shod* 200 ; *s.,
    worst shod* 197 ; *worst shod, s.* 197
shoes : *better wear out s.* 145
shore : *but see the s.* 228
Short : *s. and sweet* 89
Short prayers : *s. rise up* 89
Short reckonings : *s. make long friends* 151
Si : avec s. on va à Paris 163 ; s. le grand était
    vaillant 158 ; si ce n'était s. et mais 163
sien : à chacun le s. 209 ; chacun aime le s.
    207 ; chacun le s. 209
siens : trahi par les s. 31
Siffler : s. n'est pas jouer 19
Silence : le s. est d'or 178 ; *of speech, of s.*
    178 ; *s. gives consent* 107 ; *s. is gold*
    178 ; *s. is golden* 143 ; *s. seldom harm*
    143
silver lining : *every cloud, a s.* 57
silver weapons : *with s. conquer* 180
simile : *no s. on all fours* 159
sin : *remain in s. is devilish* 96 ; *to fall into s.*
    95
skin : *don't sell the s.* 44 ; *nearer is my s.* 199
skin a cat : *one way to s.* 198
sky : *if the s. falls* 57
sleeping : *when s. have nothing* 217
sleeping dog : *don't wake a s.* 172
sleeping dogs : *ill to waken s.* 52 ; *let s. lie* 52 ;
    53 ; 55 ; 58 ; 172
sleeping fox : *s. no poultry* 217
sleeping man : *s. is not hungry* 232
sleeping wolf : *wake not a s.* 172
sleeps : *he who s. forgets* 232
slow : *fair and s. go far* 90 ; *s. and steady
    wins* 91 ; 92 ; *s. and sure* 91
sma' buik : *guid gear s.* 233

V

va : ça v. ça vient 235

vache laitière : bonne v., chéti' veaux 154

vaches : labourer avec ses v. 69 ; 72

vachier : hier v., chevalier 110

vaincus : malheur aux vaincus 105

vaisseau : grand v., petite part 24

valet : v. n'est pas roi 149

valeur : v. pas nombre des années 129

valley : *that stays in the v.* 178

vanquished : *woe to the v.* 105

vante : *se v. s'évente* 203 ; *trop tost se v.* 42 ; 44

vanteurs : grands v., petis faiseurs 20

vantez-vous : v., il en restera 221 ; v., restera quelque chose 211

Variety : *v. spice of life* 231

vau : à ein g'v. baillé 85

veau : liche toujours son v. 207

vendre : pour boire, v. 219

vendredi : qui rit v., dimanche 52

vengeance : la v. est douce 235 ; *v. does not spoil* 235 ; v. plaisir des dieux 235 ; v. se mange froid 235

vent : en emporte le v. 235 ; sème le v., la tempête 83 ; sème v. récolte tempête 81

ventre : le v. me comble 190 ; v. content, corps 61 ; v. emporte tête 190

Ventre affamé : v. pas d'oreilles 116

ventre du bedeau : se passe dans le v. 74

Ventre gavé : v. cherche pas querelles 61

ventre plein : v. donne assurance 61 ; v. empêche brailler 62 ; v. porte jambes 61 ; v. rend cerveau paresseux 61

Ventre saoul : v. en saveur plaisance 62

Ventre vide : v. pas d'oreilles 116

venture : *nothing v., have* 176 ; *nought v.* 176

vérité : enfants et fous, la v. 225 ; la v. blesse 224 ; la v. choque 224 ; la v. pas bonne 225 ; la v. qui blesse 224 ; v. à son maître 225 ; v. engendre haine 224 ; v. est au fond 224 ; v. jamais éteinte 224 ; v. pas bonne à dire 225 ; v. vient au-dessus 225 ; v., bouche des enfants 225 ; v., être révélée 225

vérités : toutes v. pas bonnes 225

véron : perdre un v., un saumon 15

verre : bois dans mon v. 72 ; chacun dans son v. 209

verres : qui casse les v. 137

veste : sa v. avant d'avoir chaud 42

vêtement : v. fait l'homme 100

veut : qui peut il v. 30 ; qui v. peut 30

vie : la v. comme elle vient 229 ; la v. comme une fleur 230 ; la v. est courte 230 ; la v. est sommeil 230 ; la v. s'en va 230 ; la v., de marde 104 ; la v., de sacrements 104 ; pas rose dans la v. 104 ; telle v. telle fin 124 ; v. est combat 230 ; v. est courte 165 ; v. est plateau de rats 230 ; v. par le bon bout 61 ; v. pas tout rose 104

vie d'artiste : pas drôle la v. 104

vieil : en conseil, le v. 127

vieil arbre : v. transplanté meurt 129

Vieil oiseau : v. pas à la pipée 130

vieilles marmites : v. bonne soupe 130 ; v., bonne soupe 129

Vieillesse : v. pas sagesse 190

Vienne : v. qui plante 16

vieux : les ânes sont v. 190

Vieux bœuf : v. fait raie droite 130

vieux chaudrons : v. meilleurs ragoûts 130

Vieux chien : v. mettre en lien 130

vieux chiens : abay que de v. 129

vieux ciseaux : v. pour couper la soie 130

vieux merles : pas les v. à la pipée 130

vieux moineaux : pas v. avec de la paille 131

vieux pigeon : v. son pigeonnier 129

vieux poêle : v. chauffe plus fort 130

vieux pots : dans les v., bonnes soupes 129

vieux rosier : v. ne se transplante pas 129

vieux singe : pomme pour le v. 131 ; un v. la grimace 130

vieux singes : aux v. faire la grimace 131

vilain : du bien à un v. 133 ; fais du bien à un v. 134 ; graisser les bottes d'un v. 87 ; les bottes d'un v. 50 ; oignez v. il vous

Bibliographie

APPERSON, G.L., *The Wordsworth Dictionary of Proverbs: A Lexicon of Folklore and Traditional Wisdom*, Ware (Angleterre), Wordsworth Editions Ltd., 1993.

BARTLETT, John, *Familiar Quotations*, Little, Brown and Co., Boston, Toronto, 1955.

BEAUCHEMIN, Normand, *Dictionnaire d'expressions figurées en français parlé du Québec*, Sherbrooke, Université de Sherbrooke, 1982.

BENOIT, Félix, *À la découverte du pot au roses*, Paris, Solar, 1980.

BLADÉ, J.-F., *Proverbes et dictons populaires*, Paris, Champion, 1880.

CHAMPION, Selwyn Gurney, *Racial Proverbs*, Londres, Routledge & Kegan Paul Ltd, 1966.

CHANTREAU, Sophie et Alain REY, *Dictionnaire des expressions et locutions*, coll. «Les usuels du Robert», Paris, Dictionnaires Le Robert, 1989.

CLAS, André et Émile SEUTIN, *Dictionnaire de locutions et d'expressions figurées du Québec*, Montréal, Université de Montréal, 1985.

———, *J'parle en tarmes*, Montréal, Sodilis, 1989.

CREIGHTON, Helen, *Folklore of Lunenburg County, Nova Scotia*, National Museum of Canada, bull. n° 117,

«Anthropological Series», n° 29, Ottawa, King's Printer and Controller of Stationery, 1950, p. 111-114.

DesRuisseaux, Pierre, *Dictionnaire des proverbes québécois*, coll. «Typo», Montréal, Éditions de l'Hexagone, 1991.

——, corpus d'énoncés populaires, collection personnelle, 1973-1997.

——, *Le livre des proverbes québécois*, Éditions Hurtubise HMH, 1978 (1re édition: L'aurore, 1974).

Devine, P. K., *Devine's Folk Lore of Newfoundland*, St. John's (Terre-Neuve), Robinson & Co., 1937.

Dony, Yvonne P. de, *Léxico del lenguage figurado*, Buenos Aires, Ediciones Desclée De Brouwer, 1951.

Dournon, *Le dictionnaire des proverbes et dictons de France*, Paris, Hachette, 1986.

Duneton, Claude et Sylvie Claval, *Le bouquet des expressions imagées*, Paris, Seuil, 1990.

Fowke, Edith, *Canadian Folklore*, Toronto, Oxford University Press, 1988.

Germa, Pierre, *Dictionnaire des expressions toutes faites*, Montréal, Libre Expression, 1987.

Gluski, Jerzy, *Proverbs*, Amsterdam, Londres, New York, Elsevier, 1971.

Guinzbourg, Lt colonel V.S.M. de, *Wit and Wisdom of the United Nations, Esprit et sagesse des Nations unies: Proverbs and Apothegms on Diplomacy*, New York, Paroemiological Society, 1961.

Halpert, Herbert, *A Folklore Sampler from the Maritimes*, St. John's (Terre-Neuve), Memorial University of Newfoundland, 1982.

Harrap's French and English Dictionary, dir. J. E. Mansion, 2 vol. Londres, Harrap, 1973.

HASSELL, James Woodrow, *Middle French Proverbs, Sentences and Proverbial Phrases*, Toronto, Pontifical Institute of Mediaeval Studies, 1982.

ILG, Gérard, *Proverbes français*, Amsterdam, Londres, New York, Princeton, Elsevier, 1960.

LABRUNIE, Alain, *Proverbes et dictons d'Auvergne*, Paris, Rivages, 1985.

LAGANE, René, *Locutions et proverbes d'autrefois*, Paris, Belin, 1983.

LE ROUX de Lincy, *Le livre des proverbes français* précédé de recherches historiques sur les proverbes français..., Genève, Slatkine Reprints, 1968, 2 vol. (d'après l'édition de Paris, 1859).

MALOUX, Maurice, *Dictionnaire des proverbes, sentences et maximes*, Paris, Larousse, 1960.

MARTEL, Léon, *Petit recueil des proverbes français*, Paris, Garnier Frères, s.d. (8e édition).

MONTREYNAUD, Florence, Agnès PIERRON et François SUZZONI, *Dictionnaire de proverbes et dictons*, coll. «Les usuels du Robert», Paris, Dictionnaires Le Robert, 1989.

MORAWSKI, Joseph, *Proverbes français antérieurs au xve siècle*, Paris, Librairie ancienne Honoré Champion, 1925.

RIDOUT, Ronald et Clifford WITTING, *English Proverbs Explained*, Londres, Heinemann, 1967.

SCHULZE-BUSACKER, Élisabeth, *Proverbes et expressions proverbiales dans la littérature narrative du Moyen Âge français*, Paris, Librairie Honoré Champion Éditeur, 1985.

SPEARS, Richard A., *NTC's American Idioms Dictionary*, Lincolnwood (Illinois), National Textbook Company, 1987.

——, *NTC's Dictionary of American English Phrases*, Lincolnwood (Illinois), NTC Publishing Group, 1995.

The Panton Book of Idioms for Polyglots, Milan, Panton Education, 1977.

TINEL, Alfred M., *1317 proverbes et dictons anglais*, Marseille, chez l'auteur, 1977.

VIBRAYE, comte Henri de, *Trésor des proverbes français anciens et modernes*, Paris, Émile Hazan éditeur, 1934.

Croyances et pratiques populaires au Canada français, essai, Montréal, Jour, 1973.

Le livre des proverbes québécois, essai, Montréal, l'Aurore, 1974.

Le p'tit almanach illustré de l'habitant, Montréal, l'Aurore, 1974.

Le noyau, roman, Montréal, l'Aurore, 1975.

Dictionnaire de la météorologie populaire au Québec, Montréal, l'Aurore, 1976.

Magie et sorcellerie populaires au Québec, essai, Montréal, Triptyque, 1976.

Le livre des proverbes québécois, deuxième édition revue et augmentée, Montréal, Hurtubise HMH, 1978.

Le livre des expressions québécoises, Montréal, Hurtubise HMH et Paris, Hatier, 1979.

Lettres, poésie, Montréal, l'Hexagone, 1979.

Ici la parole jusqu'à mes yeux, poésie, Trois-Rivières, Écrits des Forges, 1980.

Soliloques, aphorismes, Montréal, Triptyque/Moebius, 1981.

Le livre des pronostics, essai, Montréal, Hurtubise HMH, 1982.

Travaux ralentis, poésie, Montréal, l'Hexagone, 1983.

Présence empourprée, poésie, Montréal, Parti Pris, 1984.

Storyboard, poésie, Montréal, l'Hexagone, 1986.

Monème, poésie, Montréal, l'Hexagone, 1989. Prix du Gouverneur général.

Dictionnaire des croyances et des superstitions, Montréal, Triptyque, 1989.

Dictionnaire des expressions québécoises, Montréal, Bibliothèque Québécoise, 1990.

Dictionnaire des proverbes québécois, Montréal, l'Hexagone, 1991, nouvelle édition revue et augmentée: 1997.

Lisières, poésie, Montréal, l'Hexagone, 1994.

Noms composés, poésie, Montréal, Triptyque, 1995.

Hymnes à la Grande Terre: rythmes chants et poèmes des Indiens d'Amérique du Nord-Est, Montréal, Triptyque, 1997.

TRADUCTIONS

George Woodcock, *Gabriel Dumont: le chef des Métis et sa patrie perdue*, en collaboration avec François Lanctôt, Montréal, VLB éditeur, 1986, Prix de traduction du Conseil des arts du Canada, 1986.

Adrian I. Chavez, *Popol Vuh, le livre des événements*: bible américaine des Mayas-Quichés, traduit de l'espagnol en collaboration avec Daisy Amaya, Montréal, VLB éditeur, et Paris, Le Castor Astral, 1987.

Mary Meigs, *La tête de Méduse*, Montréal, VLB éditeur, 1987.

Audrey Thomas, *Marée,* Montréal, Hurtubise HMH, 1990.

Jorge Fajardo, *La zone,* Montréal, VLB éditeur, 1990.

George Monro Grant, *Le Québec pittoresque*, Montréal, Hurtubise HMH, 1991.

Peter Charlebois, *La vie de Louis Riel*, en collaboration avec François Lanctôt, Montréal, VLB éditeur, 1991.

Alain-G. Gagnon et Mary Beth Montcalm, *Québec: au-delà de la Révolution tranquille*, Montréal, VLB éditeur, 1992.

Contre-taille: poèmes choisis de vingt-cinq auteurs canadiens-anglais, Montréal, Triptyque, 1996.

Ludmilla Bereshko, *Le colis,* Montréal, Triptyque, 1996.

Dudek, l'essentiel, anthologie de textes de Louis Dudek, Montréal, Triptyque, 1997.

Table

Bibliothèque québécoise

Jean-Pierre April
Chocs baroques

Hubert Aquin
Journal 1948-1971
L'antiphonaire
Trou de mémoire
Mélanges littéraires I. Profession : écrivain
Mélanges littéraires II. Comprendre dangereusement
Point de fuite
Prochain épisode
Neige noire

Bernard Assiniwi
Faites votre vin vous-même

Philippe Aubert de Gaspé fils
L'influence d'un livre

Philippe Aubert de Gaspé
Les anciens Canadiens

Noël Audet
Quand la voile faseille

Honoré Beaugrand
La chasse-galerie

Arsène Bessette
Le débutant

Marie-Claire Blais
L'exilé suivi de *Les voyageurs sacrés*

Jean de Brébeuf
Écrits en Huronie

Jacques Brossard
Le métamorfaux

Nicole Brossard
À tout regard

Gaëtan Brulotte
Le surveillant

Arthur Buies
Anthologie

André Carpentier
L'aigle volera à travers le soleil
Rue Saint-Denis

Denys Chabot
L'Eldorado dans les glaces

Robert Charbonneau
La France et nous

Adrienne Choquette
Laure Clouet

Robert Choquette
Le sorcier d'Anticosti

Laure Conan

Angéline de Montbrun

Jacques Cotnam

Poètes du Québec

Maurice Cusson

Délinquants pourquoi ?

Alfred DesRochers

À l'ombre de l'Orford

Léo-Paul Desrosiers

Les engagés du Grand Portage

Pierre DesRuisseaux

Dictionnaire des expressions québécoises

Le petit proverbier

Georges Dor

Poèmes et chansons d'amour et d'autre chose

Fernand Dumont

Le lieu de l'homme

Robert Élie

La fin des songes

Jacques Ferron

La charrette

Contes

Madeleine Ferron

Cœur de sucre

Le chemin des Dames

Lionel Groulx

Notre grande aventure

Germaine Guèvremont

Le Survenant

Marie-Didace

Pauline Harvey

La ville aux gueux

Encore une partie pour Berri

Le deuxième monopoly des précieux

Anne Hébert

Le torrent

Le temps sauvage suivi de
La mercière assassinée et de *Les invités au procès*

Louis Hémon

Maria Chapdelaine

Suzanne Jacob

La survie

Claude Jasmin

La sablière - Mario

Une duchesse à ogunquit

Patrice Lacombe

La terre paternelle

Risna Lasnier

Mémoire sans jours

Félix Leclerc

Adagio

Allegro